İNGİLİZCE'DE İ

ISBN 975-471-013-9

Baskı ve Cilt
Ayhan Matbaası - İstanbul
Tel : (0212) 629 01 65 - 628 90 53
Nisan 2006

ÇOCUKLAR VE İNGİLİZCEYİ
KOLAY ÖĞRENMEK
İSTEYENLER İÇİN

OKULDA
VE
EVDE

İNGİLİZCE'de 2
İLK ADIM

FONO

HAZIRLAYAN
ŞEVKET SERDAR TÜRET

DENETLEYENLER
PROFESSOR GORDON JONES - ŞERİF DENİZ

ÖNSÖZ

Bu kitap ilkokulun sonunda veya orta okulun ilk sınıfında bulunan öğrencilerle, İngilizce'yi yavaş, rahat ve kolay bir şekilde öğrenmek isteyen herkes için hazırlanmış (İngilizce'de İlk Adım) kitabının devamıdır.

Birinci kitapta olduğu gibi bu kitapta da derslerin sıralanışı, açıklamaların çok kolay anlaşılır bir şekilde verilişi, bol örnek ve uygulama yanısıra şekil ve resimlerden de yararlanma olanağı sağlanması, bu düzeydeki kişilere İngilizce'yi yormadan, sıkmadan fakat bunun yanında en verimli bir şekilde öğretmek amacını gütmektedir.

İngilizce'de İlk Adım 1 ve İngilizce'de İlk Adım 2 kitapları birçok ilkokulda dört ve beşinci sınıflarda yapılan İngilizce öğretimi için öğretmen denetimi altında ve esas kitap olarak izlenebileceği gibi orta okul birinci sınıflarda da gerek öğretmen denetiminde, gerekse öğrencinin kendi kendine çalışması şeklinde izlenebilir.

Açıklamaların kolay anlaşılır ve bol örnekli olması ve çoğu örneklerin Türkçe karşılığının verilmesi bu kitaplara kendi kendine çalışıp öğrenilebilir niteliğini kazandırmaktadır. Bu özelliği nedeniyle de İngilizce'yi kendi kendine çalışarak öğrenme durumunda olanlar için değerli bir kaynaktır.

Yavaş ve kolay bir şekilde öğretmek ilkesine göre hazırlanmış olan bu derslere başlamadan önce ilk kitapta verilen okunuş bilgilerini burada bir kere daha tekrarlıyoruz.

İNGİLİZCE OKUNUŞ

İngilizce birçok bakımlardan öğrenilmesi kolay bir dildir. Ancak, okunuşuna dikkat etmek gereklidir; çünkü İngilizce'de sözcükler yazıldıkları gibi okunmazlar.

İngilizce'de sessiz harflerin pek çoğu Türkçe'deki gibi okunurlar. B, D, F, H, K, L, M, N, P, R, S, T, V, Z harfleri sözcük içinde Türkçe'de verdikleri sesi verirler.

C harfi bazı sözcüklerde [s], bazı sözcüklerde [k] olarak okunur. Türkçe'de olmayan Q harfi ise [k] sesini verir. J [c] olarak okunur. W harfinin okunuşu şöyledir: dudaklar u harfini söylemek için yuvarlatılmış durumdayken v denir. Bu ses W harfinin okunuşudur.

Okunuşları Türkçe'den farklı olan harfler sesli harfler, yani A, O, U, E, I harfleridir. Bunların çeşitli sözcüklerin içinde değişik seslerle okunduğunu derslerimizde göreceğiz. (i harfi İngilizce'de büyük harf olarak yazıldığı zaman üzerine nokta konulmaz, I şeklinde yazılır. İngilizce'de "ı" harfi yoktur, sadece "i" harfi vardır.)

Sesli harflerin bu değişik okunuşlarını kurallarla saptamak çok sayıda kuralı hatırda tutmak zorluğu meydana getireceği için, İngilizce sözcüklerin okunuşlarını, o sözcüğün anlamını öğrenirken birlikte öğrenmek en doğru hareket olur. Derslerde sözcüklerin okunuşları köşeli parantez içinde verilmiştir. Hatta çoğu zaman cümlelerin okunuşu tüm olarak gösterilmiştir. Bu okunuşlar ilk dersten son derse kadar verilmeğe devam edilerek okunuş konusunda iyi yetişilmesine olanak sağlanmıştır.

Okunuş konusunda şu noktaya dikkat edilmelidir:

Sözcük veya cümle halinde okunuşlar gösterilirken köşeli parantez içinde verilen harfler arasında bazı o, e, ı, ö, t, d harflerinin kalın siyah olarak yazıldığı görülmektedir. Şimdi bu siyah harflerin kullanılış nedenini ve nasıl okunmaları gerektiğini açıklayalım.

[o]   Bu harf Türkçe'deki o' ya yakın fakat biraz farklı bir sesi gösterir. Bunu okumak için ağız normal o sesini çıkarırken yapıldığından biraz daha fazla açılmalıdır. Bu şekilde o ile a arası bir ses meydana gelir. İşte siyah [o] bu sesi göstermektedir.

    dog, not, wall, clock, what, sözcüklerinin okunuşu olan, [dog], [not], [woːl], [klok], [wot] içindeki [o] sesleri açıkladığımız şekilde okunur.

[ı]   Bu siyah [ı] Türkçe'deki ı ile e arası bir sesle okunur. Ağız Türkçe'deki ı sesini çıkartırken olduğu gibi gergin ve az açık tutulmayıp gevşek ve biraz daha fazla açılmış durumdayken ı denecek olursa [ı] ile gösterdiğimiz ses çıkarılmış olur. Okunuşlarda göreceğiniz siyah [ı] seslerini bu şekilde okuyunuz. Siyah olmayan [ı] ise Türkçe'deki ı'dan çok daha kısa ve belirsiz okunmalıdır.

    a, flower, lemon, woman, under sözcüklerinin okunuşları olan, [ı], [flawı], [lemın], [wumın], [andı] içindeki [ı] sesleri açıkladığımız şekilde okunur.

[e] Ağız Türkçe'deki a sesini çıkarmak için açılmışken e denecek olursa siyah [e] ile gösterdiğimiz ses elde edilmiş olur.

cat, bag, apple, map, bad sözcüklerinin okunuşları olan [ket], [beg], [epıl], [mep], [bed] içindeki [e] sesleri yukarıda belirttiğimiz şekilde okunur.

[ö:] Bu harf aslında siyah [ı] ile gösterdiğimiz sesin uzunudur. Ancak bu, Türkçe'deki ö sesine pek yakın olduğu için [ö:] ile göstermeyi uygun buluyoruz.

bird, girl, shirt, nurse, dirty sözcüklerinin okunuşları olan, [bö:d], [gö:l], [şö:t], [nö:s], [dö:ti] içindeki [ö:] seslerinin siyah ı sesinin uzunu olduğunu unutmayınız.

[t] Siyah [t], t ile s seslerinin birleşmesinden meydana gelmiş bir ses gösterir. Bu sesi elde etmek için dil ucu üst dişlerin ucuna dokunur durumdan geriye çekilirken t demelidir. Dilin dişlere değmesi esnasında söylenen t sesi, s sesi ile karışmış olarak çıkar ki siyah [t] ile gösterilen ses işte budur.

thin, mouth, theatre, teeth, Smith sözcüklerinin okunuşları olan [tin], [maut],]tiıtı], [ti:t], [smit] içindeki [t] sesleri açıkladığımız şekilde okunur.

[d] Siyah [d] ile gösterilen ses Türkçe'deki d ile z seslerinin birleşmesinden meydana gelen bir sesi gösterir. Dil ucu üst dişlerin ucuna dokunur durumdan geriye çekilirken d denecek olursa siyah [d] ile gösterdiğimiz ses çıkmış olur. Bu şekilde söylenecek d sesi, dilin dişlere teması nedeniyle z sesi ile karışmış olarak çıkar.

this, they, the, father, mother sözcüklerinin okunuşları olan [dis], [dey], [dı], [fa:dı], [madı] içindeki siyah [d] sesleri açıkladığımız şekilde okunur.

Okunuşlarda [:] işareti

Okunuşlarda görülecek bu iki nokta, yanında bulunduğu sesli harfin biraz uzunca okunacağını gösterir.

door, ruler, basket, vase, horse sozcüklerinin okunuşları olan [do:], [ru:lı], [ba:skit], [va:z], [ho:s] içindeki o, u, a harfleri, yanlarında (:) işareti olması nedeniyle uzun okunurlar.

7

Okunuşlarda yanyana iki sesli harf bulunduğu zaman bunları, aralarında du-
raklama yapmadan, birinden diğerine kesiksiz bir şekilde geçerek okumalı-
dır. Örneğin, **house** sözcüğünün okunuşu olan [haus] söylenirken a ile u
arasında bir duraklama yapılmamalıdır. Bunu [ha-us] şeklinde okumak yan-
lıştır. İki sesli arasında pek belirsiz bir ğ harfi varmış gibi kesiksiz okumalı-
dır.

İngiliz İngilizce'sinde hece veya sözcük sonunda bulunan r harfleri okun-
maz. Ancak bunu sesli bir harf izliyorsa bu durumda r okunur ve onu izleyen
sesli ile birleşir **far away** [fa:rıwey], **They are English.** [dey a:ringliş]

Okunuş konusunda verdiklerimiz iyice öğrenilir ve dikkatli bir şekilde uygu-
lanırsa İngilizce'yi doğru olarak konuşma yeteneği kazanmakta önemli bir
adım atılmış olur. Bu konuda daha fazla yetişmek için FONO Mektupla Öğ-
retim Kurumu'nun plak ve kasetlerinden yararlanmak mümkündür.

UYGULAMALAR

Öğretilen her konunun ardında, o konu ile ilgili uygulama soruları mutlaka
yapılmalıdır. Bunun yazılı olarak yapılması daha yararlı olur.

Uygulama sorularının doğru cevapları kitabın sonunda ders sayfa ve numa-
rasıyla birlikte verilmiştir. Öğrenci, doğruluğundan kuşku duyduğu cevap-
larını kontrol etmek için bu bölüme bakabilir. Ancak, önce kendi cevaplarını
bu kısımdan hiç yararlanmadan yapması, sadece doğruluğundan şüphe et-
tiği cevaplarını bu yapılmış şekillerle karşılaştırması gerekir.

FONO

8

İÇİNDEKİLER

ders

İNGİLİZ ALFABESİ

THE ENGLISH ALPHABET

Latin harfleriyle yazılan İngiliz alfabesi aşağıda gösterilen 26 harften meydana gelmiştir.

harf	okunuşu	harf	okunuşu	harf	okunuşu
A,a	[ey]	J,j	[cey]	S,s	[es]
B,b	[bi:]	K,k	[key]	T,t	[ti:]
C,c	[si:]	L,l	[el]	U,u	[yu:]
D,d	[di:]	M,m	[em]	V,v	[vi:]
E,e	[i:]	N,n	[en]	W,w	[dabılyu:]
F,f	[ef]	O,o	[ou]	X,x	[eks]
G,g	[ci:]	P,p	[pi:]	Y,y	[way]
H,h	[eyç]	Q,q	[kyu:]	Z,z	[zed]
I,i	[ay]	R,r	[a:]		

Görüldüğü gibi İngiliz alfabesinde Türkçe alfabeden farklı olarak **Q, W**, ve **X** harfleri bulunmakta, buna karşın Türk alfabesinde mevcut olan Ç, Ö, Ğ, Ü, Ş harfleri ile büyük harf İ ve küçük ı İngiliz alfabesinde yer almamaktadır.

İngiliz alfabesinde harflerin okunuşu ancak harfler tek tek söylendiğinde yukarıdaki görüldüğü biçimdedir. İngiliz alfabesinin başlıca iki kullanım alanı vardır. Bunlardan birincisi kısaltmalardadır. Örneğin:

B.B.C [bi: bi: si:]   S.O.S [es ou es]   T.R.T [ti: a: ti:]
I.M.F [ay em ef]   T.W.A [ti: dabılyu: ey]   K.L.M [key el em]
U.N [yu: en]   O.E.C.D [ou i: si: di:]   S.A.S [es ey es]

İngiliz alfabesinin ikinci ve en önemli kullanım alanı bilinmeyen veya yabancı bir sözcüğün yazılışını öğrenmek için kullanılışıdır. Bu kullanımda özellikle **How do you spell ......?** [hau du yu spel ......] cümle kalıbına dikkat ediniz.

11

HOW	DO	YOU	SPELL	..............?

How do you spell book?
[hau du yu spel buk?]
Book nasıl yazılır (harflenir)?

B-O-O-K
[bi: dabıl ou key]

How do you spell umbrella?
[hau du yu spel ambrelı]
Umbrella nasıl yazılır?

U-M-B-R-E-L-L-A
[yu: em bi: a: i: dabıl el ey]

How do you spell school?
School nasıl yazılır?

S-C-H-O-O-L
[es si: eyç dabıl ou el]

How do you spell child?
Child nasıl yazılır?

C-H-I-L-D
[si: eyç ay el di:]

How do you spell ship?
Ship nasıl yazılır?

S-H-I-P
[es eyç ay pi:]

How do you spell green?
Green nasıl yazılır?

G-R-E-E-N
[ci: a: dabıl i: en]

How do you spell car?
Car nasıl yazılır?

C-A-R
[si: ey a:]

How do you spell flower?
Flower nasıl yazılır?

F-L-O-W-E-R
[ef el ou dabılyu: i: a:]

How do you spell picture?
Picture nasıl yazılır?

P-I-C-T-U-R-E
[pi: ay si: ti: yu: a: i:]

How do you spell blue?
Blue nasıl yazılır?

B-L-U-E
[bi: el yu: i:]

How do you spell banana?
Banana nasıl yazılır?

B-A-N-A-N-A
[bi: ey en ey en ey]

How do you spell soldier?
Soldier nasıl yazılır?

S-O-L-D-I-E-R
[es ou el di: ay i: a:]

How do you spell theatre?
Theatre nasıl yazılır?

T-H-E-A-T-R-E
[ti: eyç i: ey ti: a: i:]

How do you spell mouth?
Mouth nasıl yazılır?

M-O-U-T-H
[em ou yu: ti: eyç]

12

Yazılışını bilmediğimiz sözcüğün nasıl yazıldığını öğrenmek için sorulan **How do you spell ....?** cümle kalıbına dikkat ediniz. İngilizcede, Türkçeden farklı olarak bir sözcük yazdırılırken harfler tek tek söylenir.

Smith S-M-I-T-H [es em ay ti: eyç] **Brother B-R-O-T-H-E-R** [bi: a: ou ti: eyç i: a:]
Plate P-L-A-T-E [pi: el ey ti: i:] **Postman P-O-S-T-M-A-N** [pi: ou es ti: em ey en]
Write W-R-I-T-E [dabılyu: a: ay ti: i:] **Cinema C-I-N-E-M-A** [si: ay en i: em ey]
Aeroplane A-E-R-O-P-L-A-N-E [ey i: a: ou pi: el ey en i:]

Nasıl yazıldığını göstermek istediğimiz bir sözcükte birbirini takip eden aynı harf mevcutsa **double** [dabıl] sözcüğünü kullanırız.

Book B-O-O-K [bi: dabıl ou key] **Egg E-G-G** [i: dabıl ci:]
Apple A-P-P-L-E [ey dabıl pi: el i:] **Spoon S-P-O-O-N** [es pi: dabıl ou en]
Room R-O-O-M [a: dabıl ou em] **Tree T-R-E-E** [ti: a: dabıl i:]

UYGULAMA

A. Bu kısaltmaların okunuşunu yazınız.

1. B.A
2. P.T.T
3. E.G.O
4. İ.E.T.T
5. T.C.D.D

B. Bu sözcüklerin nasıl yazıldıklarını harflerini tek tek söyleyerek belirtiniz.

1. **cat**
2. **window**
3. **horse**
4. **map**
5. **teacher**
6. **policeman**
7. **star**
8. **finger**
9. **please**
10. **feet**

C. Aşağıda belirtilen isimlerin nasıl yazıldıklarını, harflerini tek tek söyleyerek belirtiniz.

1. Kendi adınız
2. Babanızın adı
3. Annenizin adı
4. Erkek kardeşinizin adı
5. Kız kardeşinizin adı
6. Dayınızın adı
7. Teyzenizin adı
8. Amcanızın adı
9. Halanızın adı
10. Soyadınız

Bu derste öğrendiğimiz sözcükler

sözcük	okunuşu	anlamı
alphabet	[elfıbet]	alfabe
spell	[spel]	harf harf söylemek
double	[dabıl]	çift

ders 2

MİLLİYET ÖĞRENMEK / MİLLİYET BELİRTMEK

İngilizcede bir kişinin veya kişilerin milliyetini öğrenmek için **What nationality .....?** [wot neşınelıti .....] cümle kalıbı kullanılır.

what [wot]	ne
nationality [neşınelıti]	milliyet
what nationality ...?	..... nın milliyeti ne?
[wot neşınelıti ...]	(hangi milletten?)

What nationality are you?	Sizin milliyetiniz ne? (Hangi millet-
[wot neşınelıti a: yu]	tensiniz?)
What nationality is Tom?	Tom'un milliyeti ne?
What nationality is he?	(Onun) milliyeti ne?
What nationality is Mary?	Mary'nin milliyeti ne?
What nationality is she?	(Onun) milliyeti ne?
What nationality is Mr.Black?	Bay Black'in milliyeti ne?
What nationality is Mrs.Black?	Bayan Black'in milliyeti ne?
What nationality are Mr. and Mrs. Black?	Bay ve Bayan Black'in milliyetleri ne?

WHAT	NATIONALITY	ARE	YOU?

WHAT	NATIONALITY	IS	HE?

Bu sorulara verilecek cevaplar ise şu biçimlerde oluşturulur.

I am Turkish.
[ay em tö:kiş]

(Ben) Türküm.

You are English.
[yu: a:r ingliş]

(Siz) İngilizsiniz.

Tom is English.
[tom iz ingliş]

He is English.
[hi: iz ingliş]

Tom İngilizdir.

(O) İngilizdir.

Brigitte is French.
[brijit iz frenç]

She is French.
[şi: iz frenç]

Brigitte Fransızdır.

(O) Fransızdır.

Mr. Wilson is not English.
[mistı wilsın iz not ingliş]

He is American.
[hi iz ımerikın] erikın]

Bay Wilson İngiliz değildir.

(O) Amerikalıdır.

Carlos is not American.
[ka:lıs iz not ımerikın]

He is Italian.
[hi: iz iteliın]

Carlos Amerikalı değildir.

(O) İtalyandır.

Hans is a student.
[hans iz ı styu:dınt]

He is German.
[hi: iz cö:mın]

Hans bir öğrencidir.

(O) Almandır.

Mr. and Mrs. Black are teachers.
[mistır end misiz blek a: ti:çız]

They are English.
[dey a:r ingliş]

Bay ve Bayan Black öğretmendirler.

(Onlar) İngilizdir.

milliyet belirten cümle kalıbı

İsim veya şahıs zamiri	**is** veya **are**	Milliyet ifade eden sözcük
I	am	**Turkish.**
You	are	**English.**
Doris	is	**American.**
Mrs. Smith	is	**English.**
Rafaella	is	**Italian.**
We	are	**German.**
Mr. and Mrs. Green	are	**American.**
They	are	**French.**

CÜMLELER

I am Turkish. I am a student.
(Ben) Türküm. (Ben) bir öğrenciyim.

My name is Peter. I am English.
Benim adım Peter. (Ben) İngilizim.

I am French. My name is Claudine.
(Ben) Fransızım. (Benim) adım Claudine.

Mr. White is a doctor. He is English.
Mr. White doktordur. (O) İngilizdir.

Mr. Brown is not English. He is American.
Mr. Brown İngiliz değildir. (O) Amerikalıdır.

Is Mr. Brown American?
Mr. Brown Amerikalı mıdır?

Yes, he is American.
Evet, (o) Amerikalıdır.

Is Mr. Brown English?
Mr. Brown İngiliz midir?

No, he is not English. He is American.
Hayır, (o) İngiliz değildir. (O) Amerikalıdır.

Are you English?
Siz İngiliz misiniz?

Yes, I am English.
Evet, (Ben) İngilizim.

No, I am Turkish.
Hayır, (Ben) Türküm.

Hans is a policeman. He is German.
Hans bir polistir. (O) Almandır.

Rafaella is a student. She is Italian.	Rafaella bir öğrencidir. (O) İtalyandır.
Tom and Mary are students. They are English.	Tom ve Mary öğrencidirler. (Onlar) İngilizdir.
Are Tom and Mary English?	Tom ve Mary İngiliz midirler?
Yes, they are English.	Evet, (onlar) İngilizdirler.
Are Tom and Mary American?	Tom ve Mary Amerikalı mıdırlar?
No, they are not American. They are English.	Hayır, (onlar) Amerikalı değillerdir. (Onlar) İngilizdirler.
What nationality are you?	Sizin milliyetiniz ne? (Hangi millettensiniz?)
I am Turkish.	(Ben) Türküm.
I am German.	(Ben) Almanım.
I am Italian.	(Ben) İtalyanım.
What nationality is Tom?	Tom'un milliyeti ne? (Tom hangi milletten?)
He is English.	(O) İngiliz.
What nationality is Mr. Wilson?	Mr. Wilson'un milliyeti ne?
He is American.	(O) Amerikalı.
What nationality is Rafaella?	Rafaella'nın milliyeti ne?
She is Italian.	(O) İtalyan.
What nationality is Brigitte?	Brigitte'nin milliyeti ne?
She is French.	(O) Fransız.
What nationality is your teacher?	Öğretmeninizin milliyeti ne?
My teacher is Turkish.	(Benim) öğretmenim Türk.
What nationality is Carlos?	Carlos'un milliyeti ne?
He is Italian.	(O) İtalyan.
What nationality are Mr. and Mrs. Black?	Bay ve Bayan Black'in milliyetleri ne?
They are English.	(Onlar) İngiliz.

Carlos is not French. He is Italian.
Tom is not American. He is English.
My father is Turkish. My mother is Turkish.
Are you American?
What nationality is your brother?
What nationality are Mr. and Mrs. White?
Is your teacher English or Turkish?
Doris is a student. She is American.
Are you French? No, I am not. I am Italian.
Is your father English? No, he is not. He is Turkish.
Are Mr. and Mrs. West American? No, they are not.
They are English.
His name is Robert. He is American.
Her name is Brigitte. She is French.

UYGULAMA

A. Resimlere bakarak aşağıdaki sorulara cevap veriniz.

Örnek:

What nationality is Tom?
He is English.

1.

What nationality is Mr. Wilson?

2.

What nationality is Brigitte?

3.

What nationality is Carlos?

4.

What nationality are Kadirhan and Semra?

B. Bu sorulara yukarıdaki resimlerde gösterilen milliyetlere uygun biçimde cevap veriniz.

Örnek: Is Tom American?
No, he is not. He is English.

···

1. Is Mr. Wilson American or English?
2. Is Brigitte German?
3. Are Kadirhan and Semra Turkish?
4. Is Carlos French?
5. Is Tom English?
6. Is Brigitte German or French?
7. Are Kadirhan and Semra English?

Bu derste öğrendiğimiz sözcükler

sözcük	okunuşu	anlamı
nationality	[neşınelıti]	milliyet
Turkish	[tö:kiş]	Türk
English	[ingliş]	İngiliz
French	[frenç]	Fransız
American	[ımerikın]	Amerikalı
German	[cö:mın]	Alman
Italian	[iteliın]	İtalyan
Brigitte	[brijit]	bir bayan adı
Wilson	[wilsın]	bir soyadı
Hans	[hans]	bir erkek adı
Carlos	[ka:lıs]	bir erkek adı
Rafaella	[rafaella]	bir bayan adı
Claudine	[klo:din]	bir bayan adı

ders

NEAR

"Near" [niı] sözcüğü de, **in, on, under** gibi bir edattır. Anlamı "yanında, yakınında" dır.

near	yanında, yakınında
near the door	kapının yanında, kapının yakınında
near the television	televizyonun yanında
near the window	pencerenin yanında
near the car	arabanın yanında
near the teacher	öğretmenin yanında
near Mr. Green	Bay Green' in yanında
near the cinema	sinemanın yanında

The girl is near the door.
[dı göːl iz niı dı doː]
Kız kapının yanındadır.

The vase is near the television.
[dı vaːz iz niı dı telivijın]
Vazo televizyonun yanındadır.

The lamp is near the window.
[dı lemp iz niı dı windou]
Lamba pencerenin yanındadır.

The boys are near the car.
[dı boyz aː niı dı kaː]
Erkek çocuklar arabanın yanında-
dırlar.

The girls are near the tree.
[dı gö:lz a: nıı dı tri:]
Kız çocuklar ağacın yanındadırlar.

The cups are near the bottle.
[dı kaps a: nıı dı botıl]
Fincanlar şişenin yanındadırlar.

THE	KNIFE	IS	NEAR	THE	GLASS.

CÜMLELER

The chair is near the table.	İskemle masanın yanındadır.
The chairs are near the table.	İskemleler masanın yanındadırlar.
The cat is near the fish.	Kedi balığın yanındadır.
The spoon is near the fork.	Kaşık çatalın yanındadır.
The knife is near the glass.	Bıçak bardağın yanındadır.
Your umbrella is near your coat.	(Senin) şemsiyen paltonun yanındadır.
Your umbrella is not near your coat.	(Senin) şemsiyen paltonun yanında değildir.
Is your umbrella near your coat?	(Senin) şemsiyen paltonun yanında mı?
Yes, it is near my coat.	Evet, (benim) paltomun yanındadır.
Where is my umbrella?	(Benim) şemsiyem nerede?
It is near your coat.	(O) paltonun yanındadır.
Where are the children?	Çocuklar nerede?
They are near their teacher.	(Onlar) öğretmenlerinin yanındadırlar.
They are near that tree.	(Onlar) şu ağacın yanındadırlar.
Are the students near their teacher?	Öğrenciler öğretmenlerinin yanındalar mı?
No, they are not. They are near that tree.	Hayır, değiller. (Onlar) şu ağacın yanındadırlar.
I am near my mother and father.	(Ben) annem ve babamın yanındayım.
John is near his brother.	John erkek kardeşinin yanındadır.
John is not near his sister.	John kız kardeşinin yanında değildir.

Is John near his brother?	John erkek kardeşinin yanında mı?
Yes, he is near his brother.	Evet, (O) erkek kardeşinin yanındadır.
The black cat is near the white dog.	Siyah kedi beyaz köpeğin yanındadır.
The dirty plate is near the bottle.	Kirli tabak şişenin yanındadır.
The fat man is near the door.	Şişman adam kapının yanındadır.
John is near the thin boy.	John zayıf çocuğun yanındadır.
The big box is near the desk.	Büyük kutu sıranın yanındadır.
The empty glass is near the plate.	Boş bardak tabağın yanındadır.
There is a cinema near the park.	Parkın yanında bir sinema vardır.
There are two shops near the bank.	Bankanın yanında iki dükkän vardır.
There is a good restaurant near the station.	İstasyonun yanında iyi bir lokanta vardır.
There is not a theatre near the bank.	Bankanın yanında bir tiyatro yoktur.
There is a cinema near the bank.	Bankanın yanında bir sinema vardır.
Is there a theatre near the bank?	Bankanın yanında tiyatro var mıdır?
No, there is not.	Hayır, yoktur.
Is there a cinema near the park?	Parkın yanında bir sinema var mıdır?
Yes, there is a cinema near the park.	Evet, parkın yanında bir sinema vardır.

The teacher is not near the students.
Brigitte is near Claudine.
Where is Mr. Black? Is he near the car?
Where are Mr. and Mrs. White? Are they near the park?
The fat men are not near the post office.
There is not a cinema near the station.
Is there a good cinema near here?
Where is my pen? Is it near your books?
The dentist is near the postman.

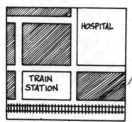

There is a hospital near the station. .
[deɪriz ɪ hospital niɪ dı steyşın]
İstasyonun yanında bir hastane vardır.

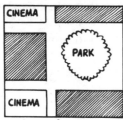

There are two cinemas near the park.
[deɪra: tu: sinımız niɪ dı pa:k]
Parkın yanında iki sinema vardır.

There is a post office near the bank.
[deɪriz ɪ poust ofis niɪ dı benk]
Bankanın yanında bir postane vardır.

There is a newspaper near the telephone.
[deɪriz ɪ nyu:speypı niɪ dı telifoun]
Telefonun yanında bir gazete vardır.

There is a teapot near the glass.
[deɪriz ɪ ti:pot niɪ dı gla:s]
Bardağın yanında bir çaydanlık vardır.

Your notebook is near the books.
[yo: noutbuk iz niɪ dı buks]
(Senin) Defterin kitapların yanındadır.

Your boots are near the door.
[yo: bu:ts a: niɪ dı do:]
(Senin) çizmelerin kapının yanındadır.

There is a matchbox near the cigarettes.
[deɪriz ɪ meçboks niɪ dı sigırets]
Sigaraların yanında bir kibrit kutusu vardır.

UYGULAMA

Bu cümleleri resimlere uygun olarak tamamlayınız.

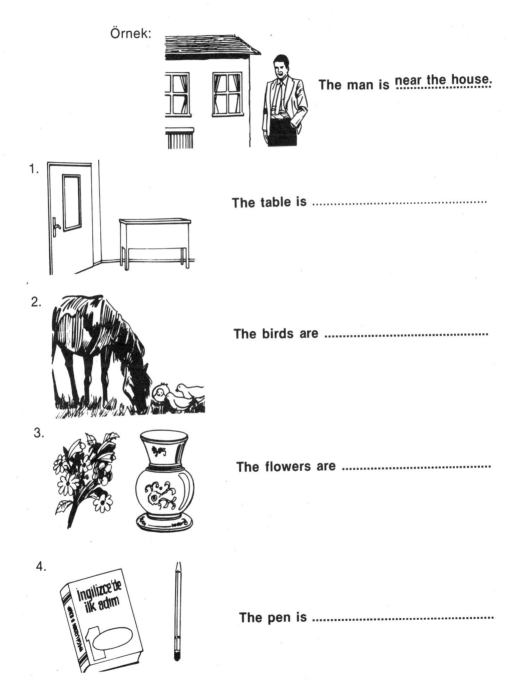

Örnek:

The man is <u>near the house.</u>

1.

The table is ....

2.

The birds are ....

3.

The flowers are ....

4.

The pen is ....

IN FRONT OF, BEHIND

In front of [in frant ov] da bir edattır. Üç sözcükten meydana gelen bu edatın anlamı "önünde, ön tarafında" dır. Bu üç sözcüğün ayrı ayrı anlamlarını düşünmeden hepsi birden tek bir sözcük olarak kabul edilmelidir.

in front of	önünde, ön tarafında
in front of the bus	otobüsün önünde
in front of the radio	radyonun önünde
in front of Mr. Green	Bay Green'in önünde
in front of the restaurant	lokantanın önünde

Behind [bihaynd] sözcüğünün anlamı "arkasında, arka tarafında, gerisinde" dir. Bu sözcük de bir edattır.

behind	arkasında, gerisinde
behind the car	arabanın arkasında
behind the radio	radyonun arkasında
behind Mr. Green	Bay Green'in arkasında
behind the students	öğrencilerin arkasında

The car is in front of the bus.
Araba otobüsün önündedir.

The teacher is in front of the blackboard.
Öğretmen tahtanın önündedir.

The bus is behind the car.
Otobüs arabanın arkasındadır.

The blackboard is behind the teacher.
Tahta öğretmenin arkasındadır.

Tom is in front of Robert.
Tom Robert'in önündedir.

Robert is behind Tom.
Robert Tom'un arkasındadır.

THE CAR	IS	IN FRONT OF	THE BUS.

THE BUS	IS	BEHIND	THE CAR.

CÜMLELER

The glass is in front of the teapot.	Bardak çaydanlığın önündedir.
The teapot is behind the glass.	Çaydanlık bardağın arkasındadır.
The newspaper is in front of the book.	Gazete kitabın önündedir.
The book is behind the newspaper.	Kitap gazetenin arkasındadır.
The apples are in front of the oranges.	Elmalar portakalların önündedir.
The oranges are behind the apples.	Portakallar elmaların arkasındadır.
The teacher is in front of the students.	Öğretmen öğrencilerinin önündedir.
The students are behind their teacher.	Öğrenciler öğretmenlerinin arkasındadır.
Mr. Black is in front of the restaurant.	Bay Black lokantanın önündedir.
Helen is behind the tree.	Helen ağacın arkasındadır.
Where is Helen?	Helen nerededir?
She is behind the tree.	(O) ağacın arkasındadır.
She is not in front of the tree.	(O) ağacın önünde değildir.
Is she behind the tree?	(O) ağacın arkasında mıdır?
Yes, she is. She is behind the tree.	Evet). (O) ağacın arkasındadır.
Is she in front of the tree?	(O) Ağacın önünde midir?
No, she is not. She is behind the tree.	Hayır değildir. (O) ağacın arkasındadır.
Where is Mr. West?	Bay West nerededir?
He is in front of the post office.	(O) postanenin önündedir.
He is not in front of the bank.	(O) bankanın önünde değildir.
Is he in front of the hospital?	(O) hastanenin önünde midir?
No, he is not. He is in front of the post office.	Hayır değildir. (O) postanenin önündedir.
Where are the children?	Çocuklar nerededir?
They are in front of the school.	(Onlar) okulun önündedirler.
They are not in front of the station.	(Onlar) istasyonun önünde değildirler.
Are they behind the station?	(Onlar) istasyonun arkasındalar mı?
No, they are not. They are in front of the school.	Hayır değildir. (Onlar) okulun önündedirler.
There is a man in front of the house.	Evin önünde bir adam var.
There is a woman behind the car.	Arabanın arkasında bir kadın var.

There is a child in front of the bicycle.	Bisikletin önünde bir çocuk var.
There are four children behind the bus.	Otobüsün arkasında dört çocuk var.
There is not a man in front of the shop.	Dükkanın önünde bir adam yok.
Is there a man in front of the shop?	Dükkanın önünde bir adam var mı?
There are two cars in front of the bank.	Bankanın önünde iki araba var.
Are there three cars in front of the bank?	Bankanın önünde üç araba mı var?
No, there are two cars in front of the bank.	Hayır, bankanın önünde iki araba var.
Are there two boys behind that tree?	Şu ağacın arkasında iki çocuk mu var?
No, there are three boys behind that tree.	Hayır, şu ağacın arkasında üç çocuk var.

Doris is running in front of Mary.	Doris Mary'nin önünde koşuyor.
Mary is running behind Doris.	Mary Doris'in arkasında koşuyor.
Helen is running behind Mary.	Helen Mary'nin arkasında koşuyor.
Helen is running in front of Brigitte.	Helen Brigitte'nin önünde koşuyor.
Brigitte is running behind Helen.	Brigitte Helen'in arkasında koşuyor.

David is sitting in front of Tom.
[deyvid iz siting in frant ov tom]

David Tom'un önünde oturuyor.

Tom is sitting behind David.
[tom iz siting bihaynd deyvid]

Tom David'in arkasında oturuyor.

Mr. White is standing in front of Mr. Black.
[mistı wayt iz stending in frant ov mistı blek]

Bay White Bay Black'in önünde (ayakta) duruyor.

Mr. Black is standing behind Mr. White.
[mistı blek iz stending bihaynd mistı wayt]

Bay Black Bay White'in arkasında (ayakta) duruyor.

Where is David sitting?
He is sitting in front of Tom.
Where is Tom sitting?
He is sitting behind David.
Is David sitting behind Tom?

David nerede oturuyor?
(O) Tom'un ön tarafında oturuyor.
Tom nerede oturuyor?
(O) David'in arkasında oturuyor.
David Tom'un arkasında mı oturuyor?

No, he is not. He is sitting in front of Tom.
Is Mr. White standing behind Mr. Black?
No, he is not standing behind Mr. Black.

Hayır değil. (O) Tom'un önünde oturuyor.
Bay White Bay Black'in arkasında mı duruyor?
Hayır, (o) Bay Black'in arkasında durmuyor.

The students are in front of the school.
Mr. Green is standing behind the door.
There is a cinema behind the school.
Is there a child in front of the car?
Hans is running in front of Tom.
Is Mary sitting in front of or behind Helen?
She is sitting in front of Helen.

UYGULAMA

Resme bakarak aşağıdaki cümlelerde boş bırakılan yerlere "**In front of**" veya "**Behind**" sözcüklerinden birini getiriniz.

1.

David is running .... Tom.

2.

The newspaper is .... the television.

3.

The vase is .... the pen.

4.

The radio is .... the book.

Bu derste öğrendiğimiz sözcükler

sözcük	okunuşu	anlamı
near	[niı]	yanında, yakınında
hospital	[hospitıl]	hastane
post office	[poust ofis]	postane
bank	[benk]	banka
park	[pa:k]	park
newspaper	[nyu:speypı]	gazete
telephone	[telifoun]	telefon
teapot	[ti:pot]	çaydanlık
notebook	[noutbuk]	defter
boots	[bu:ts]	çizme(ler)
matchbox	[meçboks]	kibrit kutusu
cigarette	[sigıret]	sigara
in front of	[in frant ov]	önünde, ön tarafında,
restaurant	[restront]	lokanta
behind	[bihaynd]	arkasında, gerisinde
to sit	[tu sit]	oturmak
to stand	[tu stend]	ayakta durmak
David	[deyvid]	bir erkek ismi

ders 4

WHOSE

"**Whose**" [hu:z] soru sözcüğü "kimin" anlamına gelir. Aşağıdaki örneklerde göreceğiniz gibi kullanılır.

Whose notebook?	Kimin defteri?
Whose coat?	Kimin paltosu?
Whose hat?	Kimin şapkası?
Whose umbrella?	Kimin şemsiyesi?

Whose notebook is this?	Bu kimin defteri?
Whose coat is that?	Şu kimin paltosu?
Whose hat is it?	O kimin şapkası?

Whose plate is empty?	Kimin tabağı boş?
Whose mother is here?	Kimin annesi burada?

Whose bread are you eating?	Kimin ekmeğini yiyorsun?
Whose book are you reading?	Kimin kitabını okuyorsun?
Whose coffee are you drinking?	Kimin kahvesini içiyorsun?

Whose soru sözcüğünden sonra tekil bir isim geldiği gibi çoğul isimler de gelebilir.

Whose notebook?	Kimin defteri?
Whose notebooks?	Kimin defterleri?
Whose hats?	Kimin şapkaları?
Whose letters?	Kimin mektupları?
Whose letters are these?	Bunlar kimin mektupları?
Whose glasses are those?	Şunlar kimin bardakları?
Whose book are you reading?	Kimin kitabını okuyorsun?
Whose books are you reading?	Kimin kitaplarını okuyorsun?

WHOSE	BOOK	IS	THIS?

Whose jacket is this?
[hu:z cekit iz dis]
Bu kimin ceketi?

Whose skirt is this?
[hu:z skö:t iz dis]
Bu kimin eteği?

Whose blouse is that?
[hu:z blauz iz det]
Şu kimin bluzu?

Whose comb is that?
[hu:z koum iz det]
Şu kimin tarağı?

Whose dictionary is it?
[hu:z dikşınri iz it]
(O) kimin sözlüğü?

Whose schoolbag is it?
[hu:z sku:lbeg iz it]
(O) kimin okul çantası?

Whose trousers are these?
[hu:z trauzız a: di:z]
Bunlar kimin pantolonu?

Whose gloves are those?
[hu:z glavz a: douz]
Şu kimin eldiveni?

Trousers ve **gloves** sözcükleri daima çoğul biçimde kullanılır.

Whose ile başlayan soru cümle kalıbı

whose	tekil veya çoğul bir isim	is/are	diğer sözcükler
Whose	bag	is	this?
Whose	birds	are	these?
Whose	letters	are	those?
Whose	hair	is	black?
Whose	father	is	a teacher?
Whose	mother	is	a doctor?

CÜMLELER

Whose radio is this?   Bu kimin radyosu?
Whose chair is that?   Şu kimin iskemlesi?
Whose picture is it?   (O) kimin resmi?
Whose car is this?   Bu kimin arabası?
Whose room is this?   Bu kimin odası?
Whose shoes are these?   Bunlar kimin ayakkabıları?
Whose notebooks are those?   Şunlar kimin defterleri?
Whose boots are they?   Onlar kimin çizmeleri?

Whose father is a dentist?   Kimin babası dişçidir?
Whose mother is a teacher?   Kimin annesi öğretmendir?
Whose brother is a student?   Kimin erkek kardeşi öğrencidir?
Whose sister is a nurse?   Kimin kız kardeşi hemşiredir?

Whose shirt is yellow?   Kimin gömleği sarıdır?
Whose umbrella is black?   Kimin şemsiyesi siyahtır?
Whose skirt is green?   Kimin eteği yeşildir?
Whose trousers are blue?   Kimin pantolonu mavidir?
Whose jacket is black and white? Kimin ceketi siyah beyaz?
Whose father is fat?   Kimin babası şişman?
Whose glass is empty?   Kimin bardağı boş?
Whose house is big?   Kimin evi büyük?
Whose father is here?   Kimin babası burada?
Whose coat is new?   Kimin paltosu yeni?
Whose gloves are black?   Kimin eldivenleri siyah?

Whose child is this?
Whose children are these?
Whose father is a postman?
Whose carpet is old?
Whose oranges are they?
Whose book are you taking?

"**Whose**" soru sözcüğü ile başlayan sorulara verilecek cevaplarda "**my**" [may] "benim", "**your**" [yo:] "senin", "**his**" [hiz] "onun" (erkekler için), "**her**" [hö:] "onun" (kadınlar için), "**its**" [its] "onun" (eşya ve hayvanlar için), "**our**" [auı] "bizim", "**your**" [yo:] "sizin" (sizlerin), "**their**" [deı] "onların" sözcüklerinden yararlanılır.

Whose notebook is this? It is my notebook.	Bu kimin defteri? (O) benim defterim.
Whose coat it that? It is your coat.	Şu kimin paltosu? (O) senin palton.
Whose plate is empty? His plate is empty.	Kimin tabağı boş? Onun tabağı boş.
Whose book is new? Her book is new.	Kimin kitabı yeni? Onun kitabı yeni.
Whose house has a garden? Our house has a garden.	Kimin evinin bahçesi var? Bizim evimizin bahçesi var.
Whose letters are these? These are your letters.	Bunlar kimin mektupları? Bunlar sizin mektuplarınız.
Whose bags are those? Those are their bags.	Şunlar kimin çantaları? Şunlar onların çantalarıdır.
Whose father is a policeman? His father is a policeman.	Kimin babası polistir? Onun babası polistir.
Whose mother is a teacher? My mother is a teacher.	Kimin annesi öğretmendir? Benim annem öğretmendir.
Whose brother is eating an apple? Her brother is eating an apple.	Kimin erkek kardeşi elma yiyor? Onun erkek kardeşi elma yiyor.
Whose sister is going to the station? Their sister is going to the station.	Kimin kız kardeşi istasyona gidiyor? Onların kız kardeşi istasyona gidiyor.
Whose mother is here? Our mother is here.	Kimin annesi burada? Bizim annemiz burada.

('S) İLE İSİM TAMLAMASI

Türkçe'de "Mehmet'in kitabı, Hasan'ın defteri, Doktorun evi, Gülsüm'ün okulu" gibi bir ismin başka bir isme ait olduğunu gösteren gruplaşmalara isim tamlaması denir. Dikkat edilirse, Türkçede isim tamlaması ilk ismin sonuna "-in" takısı getirilerek yapılmaktadır. Ancak Türkçemizde bu takı, sözcüğün son harfine göre "-in, -ın, -un, -ün" gibi değişik şekillerde bulunmaktadır.

Mehmet'**in** kitabı, Hasan'**ın** defteri, Doktor**un** evi, Gülsüm'**ün** okulu

İngilizce'de isim tamlaması buna benzer, hâttâ bundan daha kolay bir biçimde yapılır. Türkçe'de ilk isme "-in" takısı konulmasına karşılık İngilizce'de aynı iş isme bir kesme işareti ile -s harfi konmak suretiyle yapılır.

Mehmet's	Mehmet'in
Mehmet's book	Mehmet'in kitabı
Hasan's	Hasan'ın
Hasan's notebook	Hasan'ın defteri
The doctor's	Doktorun
The doctor's house	Doktorun evi
Gülsüm's	Gülsüm'ün
Gülsüm's school	Gülsüm'ün okulu

Sözcük sonuna eklenen **'s** harfinin okunuşu aynen çoğul için eklenen **-s** gibidir ve [z] olarak okunur. (Yine çoğul eki **-s** için söylendiği gibi bazı durumlarda [iz] olarak okunur.)

Robert's	Robert'in
Robert's tie	Robert'in kravatı
Robert's tie is new.	Robert'in kravatı yenidir.

Helen's	Helen'in
Helen's skirt	Helen'in eteği
Helen's skirt is old.	Helen'in eteği eskidir.

Mary's
Mary's father
Mary's father is fat.

Mary'nin
Mary'nin babası
Mary'nin babası şişmandır.

The dog's
The dog's plate
The dog's plate is empty.

Köpeğin
Köpeğin tabağı
Köpeğin tabağı boş

My brother's
My brother's bicycle is blue.

Erkek kardeşimin
Erkek kardeşimin bisikleti mavidir.

Our teacher's
Our teacher's car is in front of the school.

Öğretmenimizin
Öğretmenimizin arabası okulun önündedir.

The child's
The child's hands and feet are dirty.

Çocuğun
Çocuğun elleri ve ayakları kirlidir.

John's father
John's father is going to the train station.

John'un babası
John'un babası tren istasyonuna gidiyor.

Robert's mother
Robert's mother is writing a letter.

Robert'in annesi
Robert'in annesi bir mektup yazıyor.

Tom's brother
Tom's brother is play-
ing in the garden.

Tom'un erkek kardeşi
Tom'un erkek kardeşi
bahçede oynuyor.

TOM'S	FATHER	IS	A TEACHER.

CÜMLELER

The doctor's sisters are here.	Doktorun kızkardeşleri buradadır.
The old man's hair is white.	Yaşlı adamın saçı beyazdır.
The girl's books are on the table.	Kızın kitapları masanın üstündedir.
Mrs. Smith's baby is two years old.	Bayan Smith'in bebeği iki ya-şındadır.
Helen's sister has blue eyes.	Helen'in kız kardeşinin mavi gözleri vardır.
The old man's cat is black.	Yaşlı adamın kedisi siyahtır.
Brigitte's mother is swimming.	Brigitte'in annesi yüzüyor.
What is Brigitte's father doing?	Brigitte'in babası ne yapıyor?
Brigitte's father is shutting the door.	Brigitte'in babası kapıyı kapıyor.
There are four chairs in Mrs. White's kitchen.	Bayan White'ın mutfağında dört iskemle vardır.
There is a television in Tom's room.	Tom'un odasında bir televizyon vardır.
Is there a telephone in Tom's room?	Tom'un odasında bir telefon var mıdır?
No, there is not a telephone in Tom's room.	Hayır, Tom'un odasında bir telefon yoktur.
Where is Mary's mother going?	Mary'nin annesi nereye gidiyor?
Mary's mother is going to the park.	Mary'nin annesi parka gidiyor.
Who is writing a letter?	Kim bir mektup yazıyor?
Robert's mother is writing a letter.	Robert'in annesi mektup yazıyor.
Who is drinking water?	Kim su içiyor?
Helen's father is drinking water.	Helen'in babası su içiyor.
Who is running to the station?	Kim istasyona koşuyor?
The postman's brother is running.	Postacının erkek kardeşi koşuyor.
Who are swimming?	Kimler yüzüyor?

Mary's sister and brother are swimming.	Mary'nin kız kardeşi ve erkek kardeşi yüzüyorlar.
Who is opening the door?	Kim kapıyı açıyor?
John's mother is opening the door.	John'un annesi kapıyı açıyor.
Who has blue eyes?	Kim mavi gözlere sahip? (Kimin mavi gözleri var?)
Helen's sister has blue eyes.	Helen'in kız kardeşinin mavi gözleri var.

Whose jacket is this?
It is Tom's father's jacket.
Whose skirt is this?
It is Mary's skirt.
Whose ties are these?
They are Mr. Black's ties.

UYGULAMA

Aşağıdaki resimlere bakarak şapkaların hangi kişilere ait olduğunu yazınız.

Örnek: 1. **Hat number one is Mr. Black's hat.**

2. **Hat number two is** ....
3. **Hat number three is** ....
4. **Hat** ....

39

WHO IS WHO?

Mr. White is Mrs. White's husband.
[mistı wayt iz misiz wayts hazbınd]

Mrs. White is Mr. White's wife.
[misiz wayt iz mistı wayts wayf]

Sally is Mr. and Mrs. White's daughter.
[seli iz mistır end mizis wayts do:tı]

David is Mr. and Mrs. White's son.
[deyvid iz mistır end misiz wayts san]

Mr. White is Sally and David's father.
Mrs. White is Sally and David's mother.
Sally is David's sister.
David is Sally's brother.
Sally and David are Mr. and Mrs. White's children.
Mr. and Mrs. White are Sally and David's parents.

KİM KİMDİR?

Bay White Bayan White'ın kocasıdır.

Bayan White Bay White'ın karısıdır.

Sally Bay ve Bayan White'ın kızıdır.

David Bay ve Bayan White'ın oğludur.

Bay White Sally ve David'in babasıdır.
Bayan White Sally ve David'in annesidir.
Sally David'in kızkardeşidir.
David Sally'nin erkek kardeşidir.
Sally ve David Bay ve Bayan White'ın çocuklarıdır.
Bay ve Bayan White Sally ve David'in ebeveynidir. (ana babasıdır)

CÜMLELER

I am my mother and my father's son.	(Ben) annem ve babamın oğluyum.
I am my mother and my father's daughter.	(Ben) annem ve babamın kızıyım.
Tom is Mr. and Mrs. West's son.	Tom Bay ve Bayan West'in oğludur.
Mary is Mr. and Mrs. West's daughter.	Mary Bay ve Bayan West'in kızıdır.
Mrs. West is Mr. West's wife.	Bayan West Bay West'in karısıdır.
Mr. West is Mrs. West's husband.	Bay West Bayan West'in kocasıdır.
My mother is my father's wife.	Annem babamın karısıdır.
My father is my mother's husband.	Babam annemin kocasıdır.
I am my father's child.	Ben babamın çocuğuyum.

UYGULAMA

Resme bakarak boş bırakılan yerlere aşağıdaki sözcüklerden uygun olanını getiriniz.

Peter   Helen

Tom   Doris

father,	wife,	sister,	husband,	son,	daughter

1. Doris is Peter and Helen's ....
2. Peter is Doris and Tom's ....
3. Tom is Peter and Helen's ....
4. Helen is Peter's ....
5. Doris is Tom's ....
6. Peter is Helen's ....

Bu derste öğrendiğimiz sözcükler

sözcük	okunuşu	anlamı
whose	[hu:z]	kimin
jacket	[cekit]	ceket
skirt	[skö:t]	etek
blouse	[blauz]	bluz
comb	[koum]	tarak
dictionary	[dikşınri]	sözlük
schoolbag	[sku:lbeg]	okul çantası
trousers	[trauzız]	pantolon
gloves	[glavz]	eldiven(ler)
husband	[hazbınd]	eş (koca)
wife	[wayf]	eş (karı)
son	[san]	oğul, erkek evlat
daughter	[do:tı]	kız evlat
parent	[peırınt]	ebeveyn, ana baba
Sally	[seli]	bir kız ismi

ders 5

YÖNLER · DIRECTIONS [direkşınz]

north [no:t] kuzey

south [saut] güney

east [i:st] doğu

west [west] batı

Türkçe'deki "doğuda, batıda, kuzeyde, güneyde" gibi ifadeler İngilizce'de aşağıda görüldüğü gibi **in** edatı kullanılmak suretiyle yapılır.

in the east	doğuda
in the west	batıda
in the north	kuzeyde
in the south	güneyde

Erzurum is in the east.	Erzurum doğudadır.
İzmir is in the west.	İzmir batıdadır.
Sinop is in the north.	Sinop kuzeydedir.
Antalya is in the south.	Antalya güneydedir.

Ağrı is not in the west; it is in the east.	Ağrı batıda değildir; doğudadır.
İzmir is not in the north; it is in the west.	İzmir kuzeyde değildir; batıdadır.
Is Sinop in the south?	Sinop güneyde midir?
No, it is not in the south. It is in the north.	Hayır, güneyde değildir. (O) kuzeydedir.
Are Manisa and Aydın in the east?	Manisa ve Aydın doğuda mıdırlar?
No, they are not in the east. They are in the west.	Hayır, doğuda değildirler. Batıdadırlar.
İzmir is a big city in the west.	İzmir batıda büyük bir şehirdir.
Bingöl is a small city in the east.	Bingöl doğuda küçük bir şehirdir.
Siirt and Bingöl are small cities in the east.	Siirt ve Bingöl doğuda küçük şehirlerdir.

"Türkiye'nin doğusunda Fransa'nın batısında, İngiltere'nin kuzeyinde" gibi ifadelerde yer alan "....nin doğusunda, ...nın batısında" sözleri ise biraz önce gördüğümüz yapıya **"of"** sözcüğü ve ülke adı eklenmekle yapılır.

in the north	kuzeyde
in the north of	.... nin kuzeyinde
in the north of Turkey	Türkiye'nin kuzeyinde
Sinop is in the north of Turkey.	Sinop Türkiye'nin kuzeyindedir.

İZMİR	IS	IN THE WEST	OF	TURKEY.

Erzurum is in the east of Turkey.	Erzurum Türkiye'nin doğusundadır.
Adana is in the south of Turkey.	Adana Türkiye'nin güneyindedir.
Manisa is in the west of Turkey.	Manisa Türkiye'nin batısındadır.
Ordu is not in the west of Turkey.	Ordu Türkiye'nin batısında değildir.
Ordu is in the north of Turkey.	Ordu Türkiye'nin kuzeyindedir.
Is Kars in the east of Turkey?	Kars Türkiye'nin doğusunda mıdır?
Yes, it is. It is in the east of Turkey.	Evet. (O) Türkiye'nin doğusundadır.
Is Hatay in the north of Turkey?	Hatay Türkiye'nin kuzeyinde midir?
No, it is not. It is in the south of Turkey.	Hayır, değildir. Türkiye'nin güneyindedir.
Hatay and Antalya are in the south of Turkey.	Hatay ve Antalya Türkiye'nin güneyindedirler.
Samsun and Giresun are in the north of Turkey.	Samsun ve Giresun Türkiye'nin kuzeyindedirler.

Erzurum and Ağrı are in the east of Turkey.	Erzurum ve Ağrı Türkiye'nin doğusundadırlar.
İzmir and Manisa are in the west of Turkey.	İzmir ve Manisa Türkiye'nin batısındadırlar.
Are Samsun and Giresun in the south of Turkey?	Samsun ve Giresun Türkiye'nin güneyinde midirler?
No, they are not in the south of Turkey. They are in the north of Turkey.	Hayır, Türkiye'nin güneyinde değildirler. Türkiye'nin kuzeyindedirler.

Manisa is a city in the west of Turkey.	Manisa Türkiye'nin batısında bir şehirdir.
İzmir is a big city in the west of Turkey.	İzmir Türkiye'nin batısında büyük bir şehirdir.
Erzurum is a big city in the east of Turkey.	Erzurum Türkiye'nin doğusunda büyük bir şehirdir.
Bitlis is a small city in the east of Turkey.	Bitlis Türkiye'nin doğusunda küçük bir şehirdir.

London is a big city in the south of England.

Londra İngiltere'nin güneyinde büyük bir şehirdir.

New York is a big city in the east of America.

New York Amerika'nın doğusunda büyük bir şehirdir.

Where is New York?	New York nerededir?
It is in the east of America.	Amerika'nın batısındadır.
Where is London?	Londra nerededir?
It is in the south of England.	İngiltere'nin güneyindedir.
Where is Giresun?	Giresun nerededir?
It is in the north of Turkey.	Türkiye'nin kuzeyindedir.
Where is İzmir?	İzmir nerededir?
It is in the west of Turkey.	Türkiye'nin batısındadır.

UYGULAMA

Aşağıdaki sorulara Türkiye haritasına bakarak cevap veriniz.

1. **Where is Erzurum?**
2. **Where is Mersin?**
3. **Is Zonguldak in the east of Turkey?**
4. **Is İzmir in the west or east of Turkey?**
5. **Where is Çanakkale?**
6. **Is Antalya in the south of Turkey?**
7. **Is Samsun in the east or in the north of Turkey?**
8. **Where is Adana?**

BETWEEN [bitwi:n] AMONG [ımang]

Between edatı "iki şeyin arasında" anlamındadır. **Among** da bir edattır. "ikiden fazla şeyin arasında, birçok şeyin arasında" anlamını verir.

between	arasında
between the door and the table	kapı ve masa arasında
between the car and the bus	araba ve otobüs arasında
between two policemen	iki polis arasında
between the houses	evler (iki ev) arasında
between the cinema and the theatre	sinema ve tiyatro arasında
among	arasında
among the students	öğrenciler arasında
among the trees	ağaçlar arasında (ağaçların arasında)
among the flowers	çiçekler arasında
among the birds	kuşlar arasında
among the children	çocuklar arasında

The box is between the pen and the book.
Kutu kalem ve kitabın arasındadır.

The box is among the books.
Kutu kitapların arasındadır.

The boy is between his mother and father.
Çocuk anne ve babasının arasındadır.

The teacher is among the students.
Öğretmen öğrencilerin arasındadır.

The man is between two policemen.
The man is standing between two policemen.

Adam iki polis arasındadır.
Adam iki polis arasında (ayakta) duruyor.

Mary is among the children.
Mary is sitting among the children.

Mary çocuklar arasındadır.
Mary çocukların arasında oturuyor.

The doctor is walking between two nurses.
The doctor is walking among the nurses.

Doktor iki hemşire arasında yürüyor.
Doktor hemşireler arasında yürüyor.

I am sitting between David and Sally.
I am sitting among the students.

Ben David ve Sally arasında oturuyorum.
Öğrenciler arasında oturuyorum.

My brother is running between two boys.
My brother is running among the boys.

Erkek kardeşim iki çocuk arasında koşuyor.
Erkek kardeşim çocuklar (erkek çocuklar) arasında koşuyor.

THE MAN	IS	BETWEEN	THE POLICEMEN

THE MAN	IS	AMONG	THE POLICEMEN

There is a tall woman between two short men.
[deıriz ı to:l wumın bitwi:n tu: şo:t men]
İki kısa adam arasında uzun boylu bir kadın var.

There is a lorry between two ca
[deıriz ı lori bitwi:n tu: ka:z]
İki araba arasında bir kamyon va

The girl is among the beautiful flowers.
[dı gö:l iz bitwi:n dı byu:tifıl flauız]
Kız güzel çiçeklerin arasındadır.

I am playing among my friends.
[ay em pleying ımang may frendz]
Arkadaşlarımın arasında oynuyorum.

There is a bus stop between the bank and the post office.
[deıriz ı bas stop bitwi:n dı benk end dı poust ofis]
Banka ve postane arasında bir otobüs durağı vardır.

There are five bus stops between the park and the station.
The cat is running among the blankets.
There is a lake between the hills.
There is a small hospital among the houses.

There is a handkerchief among the ties.
[deıriz ı henkıçif ımang dı tayz]
Kravatların arasında bir mendil vardır.

Park ve istasyon arasında beş otobüs durağı vardır.
Kedi battaniyelerin arasında koşuyor.
Tepeler arasında bir göl var.
Evler arasında küçük bir hastane var.

UYGULAMA

A. Aşağıdaki cümlelerde boş bırakılan yerlere yandaki resme bakarak between veya among edatlarından uygun olanını koyunuz.

1. The dictionary is .... the map and the ruler.

2. There is a basket .... the flowers.

3. The soldier is walking .... the students.

4. There is a cow .... the horse and the dog.

5. My comb is .... my hat and my bag.

B. Aşağıdaki cümleleri İngilizceye çeviriniz.

1. Televizyon pencere ve masa arasındadır.
2. Öğretmen öğrencilerin arasında oturuyor.
3. İstasyon ve park arasında bir banka var.
4. Evimiz ağaçlar arasındadır.
5. Tom anne ve babasının arasında yürüyor.

Bu derste öğrendiğimiz sözcükler

sözcük	okunuşu	anlamı
north	[no:t]	kuzey
south	[saut]	güney
east	[i:st]	doğu
west	[west]	batı
tall	[to:l]	uzun boylu
lorry	[lori]	kamyon
beautiful	[byu:tifıl]	güzel
friend	[frend]	arkadaş
bus stop	[bas stop]	otobüs durağı
handkerchief	[henkıçif]	mendil
London	[landın]	Londra
England	[inglınd]	İngiltere
New York	[nyu: yo:k]	New York
America	[ımerikı]	Amerika

GÜNLÜK KONUŞMALAR

DIALOGUE I KARŞILIKLI KONUŞMA (DİYALOG)

Hello, Tom. [helou tom]	Merhaba, Tom.
Hi, Helen. [hay helın]	Merhaba, Helen.

How are you? [hau a: yu:]	Nasılsın?
Fine, thanks. And You? [fayn tenks end yu:]	İyiyim teşekkürler. Ya sen?
I'm very well thank you. [aym veri wel tenk yu:]	Çok iyiyim, teşekkür ederim.

How's your mother? [hauz yo: madı]	Annen nasıl?
She's not bad. [şi:z not bed]	Fena değil.

HOW	ARE	YOU?

HOW	IS	YOUR MOTHER?

How is your father? (How's your father?)	Baban nasıl?
How's your brother?	Erkek kardeşin nasıl?
How's your sister?	Kız kardeşin nasıl?
How are your children?	Çocuklarınız nasıl?
How's your hand?	Elin nasıl?
How's your arm?	Kolun nasıl?
How's your tooth?	Dişin nasıl?
How's your new baby?	Yeni bebeğiniz nasıl?
How is Mr.	Bay .... nasıl?

Sıhhat sormak için kullanılan bu tür sorulara verilebilecek cevaplar şu şekildedir:

Fine, thanks. [fayn tenks]	İyi(yim), teşekkürler.
Very well, thank you. [veri wel tenk yu]	Çok iyi(yim), teşekkür ederim.
Not bad. [not bed]	Fena değil.
Very bad. [veri bed]	Çok kötü.
O.K. (Okay) [oukey]	İyi
All right. [o:l rayt]	İyi

CÜMLELER

How's your mother?	Annen nasıl?
Very well, thank you.	Çok iyi, teşekkür ederim.
How's your sister?	Kız kardeşin nasıl?
Fine, thanks.	İyi, teşekkürler.
How's your tooth?	Dişin nasıl?
Very bad.	Çok kötü.
How's Mr. Green?	Mr. Green nasıl?
Not bad.	Fena değil.

Vedalaşırken İngilizcede aşağıdaki deyişler kullanılır.

Bye, Tom.   Allahaısmarladık, Tom
[bay tom]

Good-bye, Helen. Gülegüle, Helen.
[gudbay helın]

See you.   Görüşürüz.
[si: yu:]

Good-bye   Allahaısmarladık.
[gudbay]

Good-bye.   Gülegüle.
[gudbay]

    Allahaısmarladık (Gülegüle).
Bye.
[bay]

    Görüşürüz.
See you.
[si: yu:]

Good morning
[gud mo:ning]
Günaydın.

Good afternoon.
[gud a:ftınu:n]
Tünaydın. (Öğleden sonra söylenir)

Good evening.
[gud i:vning]
İyi akşamlar.

Good night.
[gud nayt]
İyi geceler. (Yatarken veya gece geç saatte birisine veda ederken söylenir.)

DİYALOG 2

WOMAN : Good morning, Mr. Black. How are you?

MAN : Oh, good morning Mrs. West. I'm very well, thank you. And you?

WOMAN : I'm fine, thanks.

DİYALOG 3

MAN : Hello, Doris.

WOMAN : Hi, John. How are you?

MAN : Fine, thanks. And you?

WOMAN : Not bad. How's your sister, Sally?

MAN : Oh, all right.

UYGULAMA

Aşağıdaki resimlerin altına **morning, afternoon, evening, night** ifadelerinden uygun olanını yazınız.

Örnek:

Morning or night.

1. ....

2. ....

3. ....

4. ....

5. ....

ders

HAVE GOT [hev got] HAS GOT [hez got]

Herhangi bir şeye sahip oluş, herhangi bir şeyin kendisinde var oluş anlatı-lırken İngilizcede **"have"** [hev] fiilinin kullanıldığını öğrenmiştik. Günlük ko-nuşmalarda çok kere yalnızca **"have"** yerine iki sözcükten oluşan **"have got"** ya da **"has got"** yapıları kullanılır. Anlamlarında bir değişiklik yoktur.

I have	Ben sahibim ... (Benim ...... var)
I have a car.	Bir arabam var.
I have got a car.	Bir arabam var.
He has	O sahip ... (Onun ...... var)
He has a car.	Onun bir arabası var.
He has got a car.	Onun bir arabası var.
We have	Bizim ...... var.
We have a house.	Bizim bir evimiz var.
We have got a house.	Bizim bir evimiz var.

Have got ve **got** ifadeleri günlük konuşmalarda daima **'ve got** ve **'s got** bi-çimlerinde kısaltılmış olarak kullanılır.

I HAVE GOT	⟶	I GOT ⟶	I'VE GOT
HE HAS GOT	⟶	HE GOT ⟶	HE'S GOT
WE HAVE GOT	⟶	WE GOT ⟶	WE'VE GOT
THEY HAVE GOT	⟶	THEY GOT ⟶	THEY'VE GOT

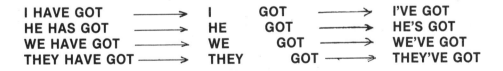

I	HAVE	GOT	A	CAR.

HE	HAS	GOT	A	BICYCLE.

CÜMLELER

I've got a big car.
You've got a white cat.
He's got a new coat.
She's got blue eyes.
We've got two sons.
You've got a restaurant.
They've got three brothers.

Büyük bir arabam var.
Senin beyaz bir kedin var.
Onun yeni bir pardesüsü var.
Onun mavi gözleri var.
Bizim iki oğlumuz var.
Sizin iki lokantanız var.
Onların üç erkek kardeşi var.

Have got, has got olumlu cümle yapısı

Özne	have got veya has got	nesne
I	have got	a brother.
You	have got	green eyes.
Tom	has got	two sisters.
Mary	has got	a black dog.
The house	has got	a garden.
We	have got	a dictionary.
You	have got	white shirts.
They	have got	some bread.

UYGULAMA

Bu cümlelerde boş bırakılan yerlere have got veya has got koyunuz.

1. The boy .... five books.
2. We .... some milk.
3. Mr. and Mrs. Green .... a house in London.
4. Their father .... a new car.
5. Your sisters .... long fingers.
6. The policemen .... black hats.
7. The dog .... a plate.

HAVE GOT (HAS GOT) İLE YAPILMIŞ CÜMLELERİN OLUMSUZ HALİ

İçinde have veya has bulunan bir cümleyi olumsuz hale getirmek için not ekinden yararlanmayı ve not sözcüğünü have veya has den sonra getirmeyi öğrenmiştik. Have got ve has got ifadelerini olumsuz hale sokmak için de aynı işlem yapılır ve not sözcüğü have ve has den sonra kullanılır.

I have a car.	Bir arabam var.	
I have not a car.	Bir arabam yok.	
I have not got a car.	Bir arabam yok.	

He has a dog.	Onun bir köpeği var.	
He has not a dog.	Onun bir köpeği yok.	
He has not got a dog.	Onun bir köpeği yok.	

Olumsuz cümlelerde de aynı olumlu cümlelerde olduğu gibi kısaltmalar yapılır. Kısaltmalar aşağıda gösterildiği biçimdedir.

I   HAVE NOT GOT A CAR. ⟶ I   HAVEN'T GOT A CAR.

HE   HAS NOT GOT A HOUSE. ⟶ HE   HASN'T GOT A HOUSE.

THEY HAVE NOT GOT A CAT. ⟶ THEY HAVEN'T GOT A CAT.

I	HAVEN'T GOT	A CAR.
HE	HASN'T GOT	BLUE EYES.

CÜMLELER

I haven't got a brother.	Benim erkek kardeşim yok.
You haven't got blue eyes.	Senin mavi gözlerin yok.
He hasn't got a radio.	Onun radyosu yok.
She hasn't got any sisters.	Onun (hiç) kızkardeşi yok.
We haven't got a bicycle.	Bizim bisikletimiz yok.
You haven't got a horse.	Sizin atınız yok.
They haven't got any children.	Onların (hiç) çocukları yok.

Have got (has got) olumsuz cümle yapısı

Özne	haven't got veya hasn't got	nesne
I	haven't got	a brother.
You	haven't got	green eyes.
He	hasn't got	two sisters.
She	hasn't got	a black dog.
The house	hasn't got	a garden.
We	haven't got	a dictionary.
You	haven't got	white shirts.
They	haven't got	any bread.

HAVE GOT (HAS GOT) İLE YAPILMIŞ CÜMLELERİN SORU HALİ

İçinde **have** veya **has** bulunan cümleleri soru haline getirirken **have** ve **has** sözcüklerinin cümle başına alındığını öğrenmiştik. **Have got (has got)** kalıbında da aynı işlem yapılır.

You have a car.	Senin bir araban var.
Have you a car?	Senin bir araban var mı?
Have you got a car?	Senin bir araban var mı?

He has a dog.	Onun bir köpeği var.
Has he a dog?	Onun bir köpeği var mı?
Has he got a dog?	Onun bir köpeği var mı?

HAVE	YOU	GOT	A	DOG?

HAS	HE	GOT	A	DICTIONARY?

Have you got a cat?	Kediniz var mı?
Has Tom got any sisters?	Tom'un (hiç) kızkardeşi var mı?
Has she got any books?	Onun (hiç) kitabı var mı?
Have they got a house in London?	Onların Londra'da evi var mı?

Bu tür sorulara verilecek cevaplar da iki şekilde yapılır. Biri görmüş olduğumuz normal **have got (has got)** içeren cümlelerdir.

Have you got a car?	**Yes, I've got a car.**
Senin araban var mı?	Evet, benim arabam var.

Has he got any brothers?	**Yes, he's got two brothers.**
Onun (hiç) erkek kardeşi var mı?	Evet, onun iki erkek kardeşi var.

Has she got a cat?	**No, she hasn't got a cat.**
Onun kedisi var mı?	Hayır, onun kedisi yok.

Have they got a house in London?	**No, they haven't got a house in London.**
Onların Londra'da evi var mı?	Hayır, onların Londra'da evi yok.

Diğer cümle şekli ise daha önce öğrendiğimiz türde kısa cevaptır.

Have you got a dictionary?	**Yes, I have.**
Senin sözlüğün var mı?	Evet, var.

Has Tom got a tie?	Yes, he has.
Tom'un kravatı var mı?	Evet, var.

Has Mary got a brother?	Yes, she has.
Mary'nin erkek kardeşi var mı?	Evet, var.

Have got (has got) olumsuz cümle yapısı

Have veya **has**	özne	**got**	nesne
Have	I	got	a notebook?
Have	you	got	green eyes?
Has	Tom	got	two sisters?
Has	Mary	got	a black dog?
Has	the house	got	a garden?
Have	we	got	a dictionary?
Have	you	got	white shirts?
Have	they	got	any milk?

"Have got (Has got)" ifadeleri İngilizce'de çok geniş bir kullanım alanına sahiptir. Aile fertlerinin belirtilmesinden kişilerin fiziki özelliklerini anlatmaya, sahip olunan malların bildirimine kadar uzanan bu geniş anlatım alanının bazı örneklerini görelim.

I have got a brother.	Benim bir erkek kardeşim var.
I have got a brother and a sister.	Benim bir erkek bir kız kardeşim var.
I haven't got any brothers or sisters.	Benim erkek ve kız kardeşim yok.
I've got a son.	Bir oğlum var.
I've got two daughters.	İki kız evladım var.
Mr. West has got two sons.	Bay West'in iki oğlu var.
They have got a new baby.	Onların yeni bir bebekleri var.
They've got two children.	Onların iki çocuğu var.
I haven't got any children.	Benim hiç çocuğum yok.

I've got a 5 year old son.
Benim beş yaşında bir oğlum var.

I've got a 5 year old son and a 2 year old daughter.

He's got a 3 year old daughter.
Onun üç yaşında bir kızı var.

Benim beş yaşında bir oğlum ve iki yaşında bir kızım var.

He's got a 15 year old sister.	Onun 15 yaşında bir kız kardeşi var.
She's got an 18 year old brother.	Onun 18 yaşında bir erkek kardeşi var.
I've got a brother but I haven't got any sisters.	Benim erkek kardeşim var ama hiç kız kardeşim yok.
Sally has got two sisters but she hasn't got any brothers.	Sally'nin iki kız kardeşi var ama hiç erkek kardeşi yok.
Mr. and Mrs. West have got three daughters but they haven't got any sons.	Bay ve Bayan West'in üç kız evlatları var ama hiç erkek evlatları yok.
Have you got a brother?	Erkek kardeşin var mı?
Have you got a sister?	Kız kardeşin var mı?
Have you got any children?	Çocuğunuz var mı?
Have you got any brothers or sisters?	Kardeşleriniz var mı?
Has Mr. Smith got any children?	Bay Smith'in çocukları var mı?
Yes, he has. He has got two sons.	Evet, var. (Onun) İki oğlu var.
Have Mr. and Mrs. Green got any children?	Bay ve Bayan Green'in çocukları var mı?
Yes, they have. They have got a son and a daughter.	Evet, var. (Onların) bir oğlu ve bir kızı var.

READING
OKUMA

John

Susan

Pamela

Steve

John's wife's name is Susan. John and Susan have got two children, a son and a daughter. Their son's name is Steve and their daughter's name is Pamela. Pamela hasn't got a sister, but she has got a brother. Steve has not got a brother but he has got a sister. His sister's name is Pamela.

Have got (has got) ifadelerinin yaygın olarak kullanıldığı bir başka alan kişilerin sahip olduğu şeyleri belirtmesidir. Örnekleri inceleyiniz.

I've got a big car.	Benim büyük bir arabam var.
I've got a house in Ankara.	Ankara'da bir evim var.
They've got a house in Bodrum.	Onların Bodrum'da bir evi var.
I've got some money.	Biraz param var.
I've got good friends.	İyi arkadaşlarım var.
He's got a restaurant between the park and the bank.	Park ve banka arasında bir lokantası var.
We haven't got a car.	Bizim arabamız yok.
I haven't got any money.	(Hiç) param yok.

We've got a colour television.
[wi:v got ı kalı telivijın]
Bizim renkli televizyonumuz var.

She's got a brown dog.
[şi:z got ı braun dog]
Onun kahverengi bir köpeği var.

She's got a new raincoat.
[şi:z got ı nyu: reynkout]
Onun yeni bir yağmurluğu var.

They've got a summer house.
[deyv got ı samı haus]
Onların yazlık evi var.

I haven't got any money.
[ay hevınt got eni mani]
(Hiç) Param yok.

I haven't got any time.
[ay hevınt got eni taym]
(Hiç) Zamanım yok.

I haven't got a telephone.
I haven't got any friends.
Have you got a cigarette?

Telefonum yok.
Hiç arkadaşım yok.
Sigaranız var mı?

Have you got a light?
[hev yu got ı layt]
Ateşiniz var mı?

UYGULAMA

Aşağıdaki resimlere bakarak sorulara cevap veriniz.

1.

Has Mr. Green got a big car or a small car?

2.

Has Mary got a cat or a dog?

3.

Has Tom got a jacket or a coat?

4.

Has the student got a dictionary or a book?

5.

Have Susan and Pamela got a white dog or a black dog?

6.

Has the boy got a ruler or a notebook?

"Have got (has got)" ifadeleri kişilerin fiziki özelliklerini belirtmede sık olarak kullanılır.

I have got blue eyes.	Benim mavi gözlerim var.
I have got black hair.	Benim siyah saçlarım var.
Steve has got long fingers.	Steve'in uzun parmakları var.
Has Susan got brown eyes?	Susan'ın kahverengi gözleri mi var?
Has she got black hair?	Onun siyah saçları mı var?
She has got black hair and black eyes.	Onun siyah saçları ve siyah gözleri var.
I haven't got black hair.	Benim siyah saçım yok.

He has got dark hair.
[hi:z got da:k heı]
Onun koyu (renk) saçları var.

She has got fair hair.
[şi: hez got feı heı]
Onun kumral saçları var.

She has got blonde hair.
[şi: hez got blond heı]
Onun sarı saçları var.

John has got a moustache.
[con hez got ı mısta:ş]
John'un bıyığı var.

Mr. Black has got a beard.
[mıstı blek hez got ı biıd]
Bay Black'in sakalı var.

Mary has got glasses.
[meıri hez got gla:siz]
Mary'nin gözlükleri var.

Bu derste öğrendiğimiz sözcükler

sözcük	okunuşu	anlamı
5 year old	[fayv yiır ould]	beş yaşında
colour television	[kalı telivijın]	renkli televizyon
brown	[braun]	kahverengi
raincoat	[reynkout]	yağmurluk
summer house	[samı haus]	yazlık ev
money	[mani]	para
time	[taym]	zaman
light	[layt]	ateş (kibrit vs.)
dark	[da:k]	koyu (renk)
fair	[feı]	kumral, açık renk
blonde	[blond]	sarışın
moustache	[mısta:ş]	bıyık
beard	[biıd]	sakal
glasses	[gla:siz]	gözlük
dialogue	[dayılog]	diyalog (karşılıklı
		konuşma)

ders 7

WHERE .... FROM ?

Bir kimsenin veya kimselerin nereli olduğunu öğrenmek için **Where** ....
from cümle kalıbı kullanılır.

Where .... from?	Nereli?
Where are you from?	Nerelisiniz? (Nerelisin?)
Where is David from?	David nerelidir? (David nereli?)
Where is he from?	(O) Nereli?
Where is Mr. Green from?	Bay Green nereli?
Where are Mr. and Mrs. Green from?	Bay ve Bayan Green nereli?
Where are they from?	Onlar nereli?
Where is your teacher from?	Öğretmeniniz nereli?

Bu sorulara verilecek cevaplar ise şu şekildedir.

I am from Turkey.
[ay em from tö:ki]
Ben Türkiye'liyim. (Türkiye'denim)

I am from England.
[ay em from inglınd]
Ben İngiltere'liyim.
(İngiltere'denim)

Mr. Black is from the United States.
[mistı blek iz from dı yu:naytid steyts]
Bay Black A.B.D li. (Birleşik Devletlerden)

Dikkat ettiğiniz gibi, "Ben İngiltere'liyim (İngiltere'denim), Bay Black A.B.D.den, Carlos İspanya'dan... vb." ifadeler Türkçe'de pek yaygın olmamasına karşın, İngilizce'de bir kimsenin hangi ülkeden olduğunu belirtmek için kullanılan temel cümle kalıplarıdır.

I	AM	FROM	TURKEY.

HE	IS	FROM	ENGLAND.

Brigitte is from France.
[brijit iz from fra:ns]
Brigitte Fransa'lı. (Brigitte Fransa'dan)

Rafaella is from Italy.
[rafaella iz from itıli]
Rafaella İtalya'lı. (Rafaella İtalya'dan)

Hans and Heidi are from Germany.
[hans end haydi a: from cö:mini]
Hans ve Heidi Almanya'lı. (Almanya'dan)

Yoshimi and Tokota are from Japan.
[yoşimi end tokota a: from cıpen]
Yoshimi ve Tokota Japonya'lı. (Japonya'dan)

Habib and Salime are from Egypt.
[habib end salima a: from i:cipt]
Habib ve Salime Mısır'lı.

Jane and Barbara are from Australia.
[ceyn end ba:brı a: from ostreylii]
Jane ve Barbara Avustralya'lı. (Avustralya'dan)

James and Betty are from Canada.
[ceymz end beti a: from kenıdı]
James ve Betty Kanada'lı. (Kanada'dan)

CÜMLELER

I am from Australia.	Ben Avustralya'lıyım. (Avustralya'danım)
He's not from England. He's from Canada.	O İngiltere'li değildir. Kanadalıdır.
Mr. and Mrs. Smith are from the U.S.A.	Bay ve Bayan Smith A.B.D. dendirler.
Where are you from?	Nerelisiniz?
I am from Germany.	(Ben) Almanya'lıyım.
Where is Yoshimi from?	Yoshimi nerelidir?
She is from Japan.	(O) Japonya'dan.
Our teacher is from England.	Öğretmenimiz İngiltere'li.
Where is your teacher from?	Sizin öğretmeniniz nereli?
My teacher is from Turkey.	Benim öğretmenim Türk. (Türkiye'den)
Is Hans from Germany or France?	Hans Almanya'lı mı, Fransa'lı mı?
He is from France.	Fransa'lı.

Tokota isn't from Canada. She's from Japan.
Where is the policeman from?
Where are Mr. and Mrs. West from?
Are you from England?
Is your teacher from the U.S.A.?
He isn't from Turkey. He is from Egypt.
Rafaella's mother is from Germany.
Their parents are from Italy.

UYGULAMA

Aşağıdaki haritaya bakarak sorulara cevap veriniz.

**Jane
from Canada**

**Brigitte and
Claudine
from France**

**Mr. and Mrs. West
from England**

**Hans from
Germany**

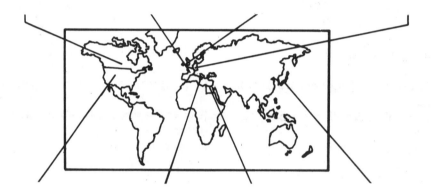

**James and Betty
from the U.S.A.**

**Carlos from
Italy**

**Sedat
from Egypt**

**Yoshimi and
Tokota
from Japan**

1. Where is Carlos from?
2. Where are Brigitte and Claudine from?
3. Is Sedat from Turkey?
4. Are Mr. and Mrs. West from the U.S.A.?
5. Is Betty from Australia?
6. Where are Yoshimi and Tokota from?
7. Are Brigitte and Claudine from France?

Where .... from? sorusuna bir ülke ismi yerine, bir şehir ismi kullanarak da cevap vermek mümkündür.

Where is Kadirhan from?	Kadirhan nereli?
He is from İstanbul.	İstanbul'lu.
Where is Serpil from?	Serpil nereli?
She is from Adana.	Adana'lı.
Where are Mr. and Mrs. West from?	Bay ve Bayan West nereli?
They are from London.	(Onlar) Londra'lı.
Where is Betty from?	Betty nereli?
She is from New York.	New York'lu.
Are Tarık and Kadir from Antalya?	Tarık ve Kadir Antalya'lı mıdır?
No, they are not. They are from İzmir.	Hayır, değiller. Onlar İzmir'lidirler.

My father is from Trabzon.
Where is your mother from? She is from Antalya.
Is your brother from this city?
Our teacher is from London.
The doctor is not from Ankara. He is from Çankırı.
The new student is from New York.
My father and my mother are from Çanakkale.
Betty's father is from London.
Mr. Green's wife is not from London. She is from New York.
Is your father from İstanbul?

İkinci derste bir kimsenin hangi milletten olduğunu öğrenmek için **What na-tionality ...?** sorusunun sorulduğunu ve bu tür sorulara bir milliyet adı veri-lerek cevap verildiğini görmüştük.

What nationality is Metin?	Metin'in milliyeti nedir? (Hangi milletendir?)
He is Turkish.	Türk'tür.
What nationality is David?	David hangi milletendir?
He is English.	İngiliz'dir.
What nationality are you?	Hangi millettensiniz? (Milliyetiniz ne?)
I am Turkish.	Türk'üm.

Dikkat ettiğiniz gibi **What nationality ....?** sorusuna verilen cevaplar **I am, You are, He is, She is, They are** vb. ile başlamakta, ardından bir milliyet ismi gelmektedir. **Where ...... from?** sorusuna verilen cevaplarda ise **I am from .... He is from .... She is from .... They are from ....** ile başlayan ve ardından bir ülke adı gelen cümle kalıbı kullanılmaktadır.

I am Turkish.	Ben Türk'üm.
I am from Turkey.	Türkiye'liyim. (Türkiye'denim)
Robert is from England.	Robert İngiltere'li. (İngiltere'den)
He is English.	O İngilizdir.
Brigitte is from France.	Brigitte Fransa'lıdır. (Fran-sa'dandır)
She is French.	O Fransızdır.
Hans and Heidi are from Germany.	Hans ve Heidi Almanya'lıdırlar.
They are German.	Onlar Almandır.
Rafaella is from Italy.	Rafaella İtalya'lı.
She is Italian.	O İtalyandır.
Yoshimi and Tokota are from Japan.	Yoshimi ve Tokota Japonya'lı.
They are Japanese.	Onlar Japon'dur.
Betty and James are from Canada.	Betty ve James Kanada'dan.
They are Canadian.	Onlar Kanada'lı.

HE	IS	FROM	ENGLAND.

HE	IS	ENGLISH.

ÜLKELER		MİLLİYETLER	
Turkey	Türkiye	Turkish	Türk
England	İngiltere	English	İngiliz
U.S.A.	A.B.D	American	Amerikalı
France	Fransa	French	Fransız
Germany	Almanya	German	Alman
Italy	İtalya	Italian	İtalyan
Japan	Japonya	Japanese	Japon
Egypt	Mısır	Egyptian	Mısırlı
Australia	Avustralya	Australian	Avustralyalı
Canada	Kanada	Canadian	Kanadalı

UYGULAMA

Tablodan yararlanarak, aşağıda boş bırakılan yerlere bir ülke ismi veya bir milliyet adı getiriniz.

Örnek: **My father is from Turkey. He is Turkish.**

    1. **Tom and Mary are from .... They are English.**
    2. **Mr. Green is from New York. He is ....**
    3. **Yoshimi is .... She is from Japan.**
    4. **Is Heidi from .... ? Yes, she is. She is German.**
    5. **Jane and Barbara are from .... They are Australian.**
    6. **Habib is .... He is from Egypt.**
    7. **Brigitte is from .... She is French.**

Bu derste öğrendiğimiz sözcükler

sözcük	okunuşu	anlamı
Turkey	[tö:ki]	Türkiye
England	[inglınd]	İngiltere
the United States	[dı yu:naytid steyts]	A.B.D
France	[fra:ns]	Fransa
Italy	[itıli]	İtalya
Germany	[cö:mıni]	Almanya
Japan	[cıpen]	Japonya
Japanese	[cepıni:z]	Japon (Japonyalı)
Egypt	[i:cipt]	Mısır
Egyptian	[icipşın]	Mısır'lı
Australia	[ostreyliı]	Avustralya
Australian	[ostreyliın]	Avustralyalı
Canada	[kenıdı]	Kanada
Canadian	[kıneydiın]	Kanadalı
Yoshimi	[yoşimi]	Bir bayan ismi
Tokota	[tokota]	bir bay ismi
Jane	[ceyn]	bir bayan ismi
Barbara	[ba:brı]	bir bayan ismi
James	[ceymz]	bir erkek ismi
Betty	[beti]	bir bayan ismi

ders 8

SAYILAR (20-1.000.000)

İngilizce'de 1'den 20'ye kadar olan sayıları kitabımızın birinci cildinin 19ncu dersinde öğrenmiştik. Şimdi 21'den1.000.000'a kadarolan sayıları öğrenelim.

21'den 30'a kadar sayılar 20 sayısına 1 ile 10 arasındaki sayıları eklemekle yapılır

21 **twenty-one**
22 **twenty-two**
23 **twenty-three**
24 **twenty-four**
25 **twenty-five**

Örneklerde de görüldüğü gibi, iki sayı arasında bir tire işareti görmekteyiz. Aynı durum 21 ile 99 arasındaki sayıları yazarken de vardır. İki sayı sözcükleri arasına bir tire işareti konur.

26 **twenty-six**
27 **twenty-seven**
28 **twenty-eight**
29 **twenty-nine**

30, 40, 50, 60, 70, 80, 90 arasındaki sayıları elde etmek için de yine 20 ile 30 arasındakiler için olduğu gibi bunlara bir ile 10 arasındaki sayıları eklemek yeterlidir. Şimdi önce, 30, 40, 50, 60, 70, 80, 90 ve 100 sayılarının İngilizce karşılıklarını öğrenelim.

30 **thirty** [tö:ti]
40 **forty** [fo:ti]
50 **fifty** [fifti]
60 **sixty** [siksti]
70 **seventy** [sevınti]

80 **eighty** [eyti]
90 **ninety** [naynti]
100 **one hundred** [wan handrıd], **a hundred** [ı handrıd]
1000 **one thousand** [wan tauzınd], **a thousand** [ı tauzınd]

Dikkat ettiğiniz gibi, bu sayılar 3 ile 9 arasındaki sayılara (bazen ufak değişikliklerle) **ty** eklenmek suretiyle elde edilmiştir.

Az önce öğrendiğimiz kuralı uygulayarak 30 ile 100 arasındaki çeşitli sayıları görelim.

31 **thirty-one**	46 **forty-six**
32 **thirty-two**	47 **forty-seven**
33 **thirty-three**	52 **fifty-two**
34 **thirty-four**	59 **fifty-nine**
35 **thirty-five**	63 **sixty-three**
36 **thirty-six**	68 **sixty-eight**
37 **thirty-seven**	71 **seventy-one**
38 **thirty-eight**	77 **seventy-seven**
39 **thirty-nine**	82 **eighty-two**
40 **forty**	84 **eighty-four**
41 **forty-one**	85 **eighty-five**
42 **forty-two**	88 **eighty-eight**
43 **forty-three**	95 **ninety-five**
44 **forty-four**	98 **ninety-eight**
45 **forty-five**	99 **ninety-nine**

13 ile 19 ve 30, 40, 50... gibi sayıların okunuşları arasında çok belirgin bir fark vardır. 13, 14, 15, 16, 17, 18, 19 sayılarının sonunda yazılışta **teen** eki vardır ve bu ek [ti:n] şeklinde okunur. 30, 40, 50, 60, 70, 80 ve 90 sayılarının sonunda ise **ty** eki vardır ve bu ek [ti] şeklinde kısa biçimde söylenir. Aşağıdaki karşılaştırmalı tabloya dikkat ediniz.

[ti:n]	[ti]
13 **thirteen**	30 **thirty**
14 **fourteen**	40 **forty**
15 **fifteen**	50 **fifty**
16 **sixteen**	60 **sixty**
17 **seventeen**	70 **seventy**
18 **eighteen**	80 **eighty**
19 **nineteen**	90 **ninety**

Ayrıca, dikkat ettiğiniz gibi 40 sayısı **Forty** biçiminde yazılır. **Fourty** şeklinde yazılmaz.

There are twenty-four students in my class.	Sınıfımda yirmi dört öğrenci var.
My father is forty-two years old.	Babam kırk iki yaşındadır.
There are thirty trees in the park.	Parkta otuz ağaç vardır.
I have got thirty-two teeth.	Otuz iki dişim var.
Mr. Black's wife is thirty-eight years old.	Bay Black'in karısı otuz sekiz yaşındadır.
There aren't thirty students in Mrs. West's class.	Bayan West'in sınıfında otuz öğrenci yok.
There are seventy-two girls in the school.	Okulda yetmiş iki kız var.
Fifty teachers are coming to Turkey.	Türkiye'ye elli öğretmen geliyor.
There are sixty-seven cities in Turkey.	Türkiye'de altmış yedi şehir var.

There are one hundred cars in the car park.
My father is not fifty years old.
Forty horses are in that field.
There are seventy shops in the city.
There are ninety houses in that village.
Twenty-one students are here.
I have got thirty English books.

İngilizce'de 100 sayısından sonra gelen sayıların yazılışı ve okunuşlarında **and** sözcüğünden yararlanılır ve bu sözcük **hundred**'dan hemen sonra gelir.

one hundred	100	(bir) yüz
one hundred and one	101	yüz bir
one hundred and two	102	yüz iki
one hundred and five	105	yüz beş
one hundred and ten	110	yüz on
two hundred	200	iki yüz
two hundred and eleven	211	iki yüz on bir
three hundred and two	302	üç yüz iki
four hundred and four	404	dört yüz dört

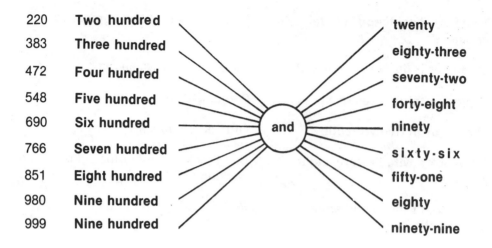

220	Two hundred	twenty
383	Three hundred	eighty-three
472	Four hundred	seventy-two
548	Five hundred	forty-eight
690	Six hundred	and ninety
766	Seven hundred	sixty-six
851	Eight hundred	fifty-one
980	Nine hundred	eighty
999	Nine hundred	ninety-nine

Şimdi de 1000'den yüksek sayıların yazılışlarını öğrenelim.

1001	One thousand and one
1002	One thousand and two
1010	One thousand and ten
1050	One thousand and fifty
1100	One thousand one hundred
1101	One thousand, one hundred and one
1110	One thousand, one hundred and ten
2000	Two thousand
2150	Two thousand, one hundred and fifty
2500	Two thousand, five hundred
3000	Three thousand
5000	Five thousand
10000	Ten thousand
50000	Fifty thousand
100 000	One hundred thousand
250 000	Two hundred and fifty thousand
500 000	Five hundred thousand
1 000 000	A million [ı milıın] One million [wan milıın]

UYGULAMA

A. Bu sayıları İngilizce olarak yazınız.

1. 150   4. 465
2. 68   5. 5320
3. 8000 6. 2572

B. Yüze kadar beşer beşer yazınız.

5 **Five** .. 10 **Ten** .. 15 **Fifteen** ....

C. İki yüzden geriye onar onar yazınız.

200 **Two hundred** .. 190 **One hundred and ninety** ....

D. Bu sayıların Türkçe karşılıklarını yazınız.

1. **Five thousand and seventy**
2. **Nine hundred and forty-six**
3. **Three thousand and forty-eight**
4. **Twenty thousand two hundred and ninety-nine**
5. **One thousand one hundred and thirty-seven.**
6. **Eight hundred and twenty-one.**
7. **Two thousand six hundred and thirty-three.**
8. **Four thousand one hundred and two.**

E. Aşağıdaki resimlere bakarak kişilerin yaşlarını yazınız.

Mr. Peter Green   Mr. Robert Black   Mrs. West   Miss White   John
    110   75   48   19   7

Örnek: **Mr. Peter Green is one hundred and ten years old.**

1. **Mr. Robert Black is** ....
2. **Mrs. West** ....
3. **Miss White** ....
4. **John** ....

ders

SAATİ SORMAK / SAATİ SÖYLEMEK

İngilizce'de saati sormak için kullanılan iki temel cümle vardır. Bunların her ikisi de "Saat kaç?" anlamına gelir.

What time is it?
[wot taym iz it]

Saat kaç?

What is the time?
[wot iz dı taym]

Saat kaç?

WHAT	TIME	IS	IT?

WHAT	IS	THE	TIME?

Bu soruya verilecek cevaplar değişiktir. Önce tam saatlerde (saat başların-da) vaktin nasıl söyleneceğini görelim.

What time is it?
[wot taym iz it]
Saat kaç?

It's one o'clock.
[its wan ıklok]
Saat bir.

What time is it?
[wot taym iz it]
Saat kaç?

It's two o'clock.
[its tu: ıklok]
Saat iki.

What's the time?
[wots dı taym]
Saat kaç?

It's three o'clock.
[its tri: ıklok]
Saat üç.

78

IT'S	THREE	O'CLOCK

It's four o'clock.	Saat dört.
It's five o'clock.	Saat beş.
It's six o'clock.	Saat altı.
It's seven o'clock.	Saat yedi.
It's eight o'clock.	Saat sekiz.
It's nine o'clock.	Saat dokuz.
It's ten o'clock.	Saat on.
It's eleven o'clock.	Saat onbir.
It's twelve o'clock.	Saat oniki.

Tam saatlerde saati bildiren sayı **It's ..... o'clock** [its ..... ıklok] cümle kalıbında **It's** ile **o'clock** arasına konmuştur. Bu cümle kalıbındaki **o'clock** sözcüğü zaman bildirmek için kullanılan bir ifadedir. Duvar saati veya masa saati anlamına gelen **clock** ile hiçbir ilgisi yoktur. Bu kalıba göre, örneğin saatin 5, 6, 7 olduğunu bildirmek için yapacağımız tek işlem bu sayıları yukarıda belirtilen yere koymaktır.

It's five o'clock.	Saat beş.
It's one o'clock.	Saat bir.

YARIM SAATLERİ SÖYLEMEK

Türkçe'de buçuk sözcüğünü ekleyerek bir buçuk, iki buçuk, beş buçuk gibi anlattığımız yarım saatler İngilizce'de aşağıdaki gibi belirtilir.

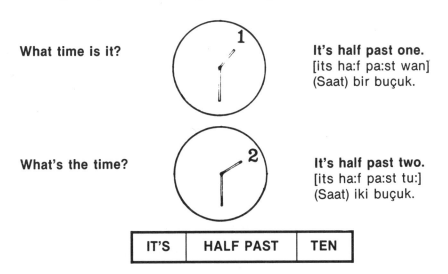

What time is it?

It's half past one.
[its ha:f pa:st wan]
(Saat) bir buçuk.

What's the time?

It's half past two.
[its ha:f pa:st tu:]
(Saat) iki buçuk.

IT'S	HALF PAST	TEN

Buçuklar için **It's half past** .... [its ha:f pa:st ....] kalıbı kullanılır.Sondaki boşluğa saat konulur.

It's half past	(Saat) .... buçuk.
It's half past one.	(Saat) bir buçuk.
It's half past two.	iki buçuk.
It's half past three.	Üç buçuk.
It's half past four.	Dört buçuk.
It's half past five.	Beş buçuk.
It's half past six.	Altı buçuk.
It's half past seven.	Yedi buçuk.
It's half past eight.	Sekiz buçuk.
It's half past nine.	Dokuz buçuk.
It's half past ten.	On buçuk.
It's half past eleven.	Onbir buçuk.
It's half past twelve.	Yarım. (12.30)

GEÇİYOR / KALA (VAR) ŞEKLİNDE İFADE EDİLEN ZAMANLARI BİLDİRMEK

İngilizce'de geçiyor sözcüğünün karşılığı **past** [pa:st] var (kala) sözcüğünün ise **to** [tu] dur.

Önce "geçiyor" olarak ifade edilen kesirli zamanların İngilizce'de ne şekilde belirtildiğini görelim.

What time is it?

It's five past one.
[its fayv pa:st wan]
(Saat) Biri beş geçiyor.

What's the time?

It's ten past one.
[its ten pa:st wan]
Biri on geçiyor.

What time is it?

It's twenty past two.
[its twenti pa:st tu:]
İkiyi yirmi geçiyor.

What's the time?

It's twenty five past four.
[its twenti fayv pa:st fo:]
Dördü yirmi beş geçiyor.

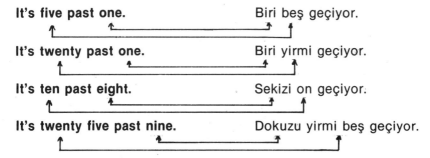

IT'S	TWENTY	PAST	ONE.

Dikkat ettiyseniz, Türkçe'nin aksine İngilizce cümlelerde önce dakika, sonra saat yer almaktadır.

It's five past one.   Biri beş geçiyor.

It's twenty past one.   Biri yirmi geçiyor.

It's ten past eight.   Sekizi on geçiyor.

It's twenty five past nine.   Dokuzu yirmi beş geçiyor.

Bu tür cümlelerde cümle kalıbı **It's** .... **past** .... biçimindedir. İlk boşluğa dakika, daha sonrakine de saat yerleştirilir. Çeyrek saatleri söylerken de **quarter** [kwo:tı] sözcüğü kullanılır.

What time is it?

It's (a) quarter past one.
[its ı kwo:tı pa:st wan]
Biri çeyrek geçiyor.

Quarter sözcüğünün önüne istenirse **a** sözcüğü getirilebilir.

It's a quarter past two.   İkiyi çeyrek geçiyor.
It's quarter past three.   Üçü çeyrek geçiyor.
It's (a) quarter past four.   Dördü çeyrek geçiyor.
It's (a) quarter past nine.   Dokuzu çeyrek geçiyor.
It's (a) quarter past eleven.   Onbiri çeyrek geçiyor.

Türkçe'de "var, kala" olarak söylenen vakitlerin İngilizce karşılıklarında **to** [tu] ekinden yararlanılır.

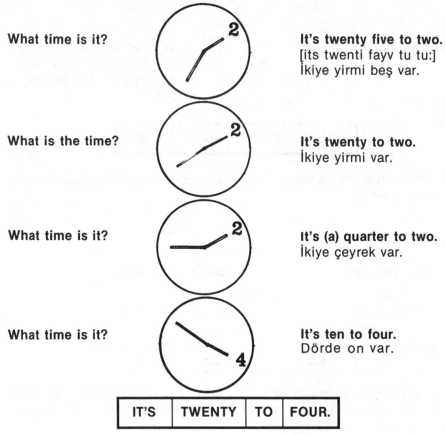

What time is it?

It's twenty five to two.
[its twenti fayv tu tu:]
İkiye yirmi beş var.

What is the time?

It's twenty to two.
İkiye yirmi var.

What time is it?

It's (a) quarter to two.
İkiye çeyrek var.

What time is it?

It's ten to four.
Dörde on var.

| IT'S | TWENTY | TO | FOUR. |

Aynı "geçiyor" olarak ifade edilen kesirli zamanlarda olduğu gibi, "var" ile ifade edilen zamanlarda da İngilizce cümlelerde önce dakika sonra saat yer almaktadır.

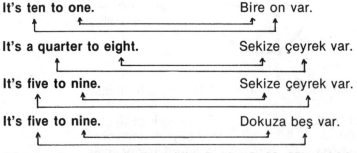

It's ten to one.   Bire on var.

It's a quarter to eight.   Sekize çeyrek var.

It's five to nine.   Sekize çeyrek var.

It's five to nine.   Dokuza beş var.

"Geçiyor" ve "var" larda dakika 5, 10, 15, 20, 25'ten birisi değil de 2, 4, 6, 7, 9, 18, 23 gibi beşe bölünemeyen bir sayı ise, kalıp cümleye dakika(lar) anlamına gelen **minutes** [minits] sözcüğü eklenir.

It's five past one.   Biri beş geçiyor.
It's six minutes past one.   Biri altı dakika geçiyor.

82

It's seven minutes past one.	Biri yedi dakika geçiyor.
It's nine minutes past one.	Biri dokuz dakika geçiyor.
It's ten past one.	Biri on geçiyor.
It's eleven minutes past one.	Biri on bir dakika geçiyor.
It's twenty one minutes past one.	Biri yirmi bir dakika geçiyor.
It's eighteen minutes past nine.	Dokuzu on sekiz dakika geçiyor.
It's twenty five to nine.	Dokuza yirmi beş var.
It's twenty four minutes to nine.	Dokuza yirmi dört dakika var.
It's twenty three minutes to nine.	Dokuza yirmi üç dakika var.
It's twenty one minutes to nine.	Dokuza on dokuz dakika var.
It's eight minutes to ten.	Ona sekiz dakika var.

İngilizce'de saatleri söylemenin özellikle son zamanlarda kullanılan bir başka şekli ise, saatleri doğrudan doğruya digital (sayısal) biçimde okumaktır.

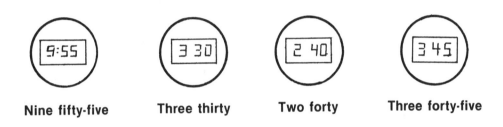

Nine fifty-five   **Three thirty**   **Two forty**   **Three forty-five**

UYGULAMA

Aşağıdaki saatlere bakarak saatin kaç olduğunu yazınız.

83

SAATLER VE (AT)

Türkçe'deki "Saat altıda, saat beşte, saat dokuzbuçukta, saat onu çeyrek geçe, saat beşe yirmi kala" gibi ifadeler İngilizce'de, **at** [et] edatı kullanılmak suretiyle aşağıda örneklerde görüldüğü biçimde yapılır. **At** "-de, -da" anlamını verir.

two o'clock	saat iki
at two o'clock	saat ikide
three o'clock	saat üç
at three o'clock	saat üçte
half past nine	dokuz buçuk
at half past nine	dokuz buçukta
at ten past eleven	on biri on geçe
at ten to eleven	on bire on kala
at (a) quarter to twelve	on ikiye çeyrek kala
at (a) quarter past twelve	on ikiyi çeyrek geçe
at twenty past five	beşi yirmi geçe
at twenty to five	beşe yirmi kala
at one o'clock	saat birde
at ten o'clock	saat onda
at half past twelve	saat yarımda (12.30) da

Bu derste öğrendiğimiz sözcükler

sözcük	okunuşu	anlamı
what time	[wot taym]	saat kaç
o'clock	[ıklok]	saat (zaman bildirirken)
half past	[ha:f pa:st]	buçuk
past	[pa:st]	geçiyor
to	[tu]	kala, var
quarter	[kwo:tı]	çeyrek (15 dakika)
minute	[minit]	dakika
at	[et]	-de, -da

ders 1

ON THE RIGHT · ON THE LEFT

right [rayt]   sağ
right hand   sağ el

left [left]   sol
left hand   sol el

This is my right hand.   Bu benim sağ elim.
This is my left hand.   Bu benim sol elim.

This is my left arm.   **This is my right arm.**
[dis iz may left a:m]   [dis iz may rayt a:m]
Bu benim sol kolum.   Bu benim sağ kolum.

I have got a comb in my right   Sağ elimde bir tarak var.
hand.
I have got a hat in my left hand. Sol elimde bir şapka var.

Sally has got a book in her right Sally'nin sağ elinde bir kitap var.
hand.
Sally has got a notebook in her   Sally'nin sol elinde bir defter var.
left hand.

The jacket is in his right hand. Ceket sağ elinde.
The tie is in his left hand.   Kravat sol elinde.

Türkçe'deki "sağda, solda" sözleri İngilizce'de **on the right, on the left**
şeklinde söylenir.

on the right   sağda
on the left   solda

The television is on the right.	Televizyon sağdadır.
The radio is on the left.	Radyo soldadır.
The telephone is on the right.	Telefon sağdadır.
The table is on the left.	Masa soldadır.

There is a big shop on the right.	Sağda büyük bir dükkân var.
There is not a post office on the left.	Solda bir postane yok.
Is there a bus stop on the right?	Sağda bir otobüs durağı var mı?
There are two stops on the left.	Solda iki durak var.

THE HOSPITAL	IS	ON THE RIGHT.

THERE	IS	A	POST OFFICE	ON THE LEFT.

Turn left.
[tö:n left]

Turn right.
[tö:n rayt]

The grocer's is on the left.
[dı grousız iz on dı left]
Bakkal (dükkânı) soldadır.

The butcher's is on the right.
[dı buçız iz on dı rayt]
Kasap sağdadır.

The greengrocer's is on the left.
[dı gri:ngrousız iz on dı left]
Manav soldadır.

The baker's is on the right.
[dı beykız iz on dı rayt]
Fırın sağdadır.

The living room is on the right.
[dı living ru:m iz on dı rayt]
Oturma odası sağdadır.

The bathroom is on the left.
[dı ba:tru:m iz on dı left]
Banyo soldadır.

CÜMLELER

The shops are on the right.	Dükkânlar sağdadır.
The school is not on the right.	Okul sağda değil.
It is on the left.	Solda.
Is the clock on the right or on the left?	Saat sağda mı, yoksa solda mı?
The fork is on the left.	Çatal solda.
The knife is on the right.	Bıçak sağda.
Where are the glasses? Are they on the right or on the left?	Bardaklar nerede? Sağda mı, yoksa solda mı?
There is a clock on the right.	Sağda bir saat var.
There is a cinema on the left.	Solda bir sinema var.
There is not a butcher's on the right.	Sağda bir kasap yok.
Is there a greengrocer's on the left?	Solda bir manav var mı?
There aren't any theatres on the left.	Solda tiyatro yok.
Is there a bank on the right?	Sağda bir banka var mı?
Where is the baker's?	Fırın nerede?
It is on the left.	Solda.
Where are the shops?	Dükkânlar nerede?
They are on the left.	Solda.

Mülkiyet sıfatları ve 's almış isimler de bu yapıda aşağıdaki örneklerde görüldüğü gibi kullanılır.

right	sağ
on the right	sağda
on my right	sağımda
on Betty's right	Betty'nin sağında
on the teacher's right	öğretmenin sağında

on the doctor's right	doktorun sağında
on your right	sağında
on their right	onların sağında
left	sol
on the left	solda
on my left	solumda
on Jane's left	Jane'in solunda
on the policeman's left	polisin solunda
on your left	solunda
on their left	onların solunda
The post office is on your rıght.	Postane sağınızda.
The baker's is on your left.	Fırın solunuzda.
The bathroom is on your left.	Banyo solunuzda.
The living room is on your rıgnı.	Oturma odası sağınızda.
The blackboard is on the teacher's right.	Karatahta öğretmenin sağındadır.
The empty glasses are on the woman's left.	Boş bardaklar kadının solunda.
The dirty plates are on the woman's right.	Kirli tabaklar kadının sağında.
The long ruler is on the boy's left.	Uzun cetvel erkek çocuğun solunda.
Betty is running on John's right.	Betty John'un sağında koşuyor.
John is running on Betty's left.	John Betty'nin solunda koşuyor.
Jane is sitting on Tom's right.	Jane Tom'un sağında oturuyor.
Tom is sitting on Jane's left.	Tom Jane'in solunda oturuyor.

Şahıs gösteren sözcüklerden başka şeylerin sağında veya solunda oluş anlatılırken **on the right** ve **on the left** ifadeleri ile **of** sözcüğü kullanılır.

on the right	sağda
on the right of..........	..........nın sağında
on the left	solda
on the left of..........	..........nın solunda
on the right of the bank	bankanın sağında
on the left of the bank	bankanın solunda

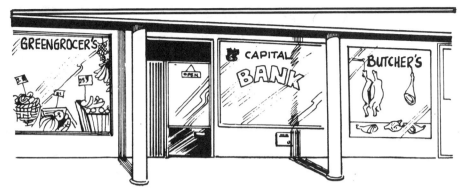

There is a greengrocer's on the right of the bank.	Bankanın sağında bir manav var.
There is a butcher's on the left of the bank.	Bankanın solunda bir kasap var.

There is a policeman on the right of Mr. Black.	Bay Black'in sağında bir polis var.
There is a postman on the left of Mr. Black.	Bay Black'in solunda bir postacı var.
There is a policeman on the right of Mr. Black.	Bay Black'in sağında bir polis var.
There is a postman on the left of Mr. Black.	Bay Black'in solunda bir postacı var.
Is there a policemen on the right of Mr. Black?	Bay Black'in sağında bir polis var mı?
Yes, there is.	Evet, var.
Is there a postman on the right of Mr. Black?	Bay Black'in sağında bir postacı var mı?
No, there isn't.	Hayır, yok.
There is a postman on the left of Mr. Black.	Bay Black'in solunda bir postacı var.

THERE	IS	A POLICEMAN	ON THE LEFT OF MR. BLACK.

THERE	IS	A DOCTOR	ON THE RIGHT OF MR. BLACK.

CÜMLELER

There is a bathroom on the right of the living room.
Oturma odasının sağında bir banyo var.

There is a small kitchen on the left of the living room.
Oturma odasının solunda ufak bir mutfak var.

There are two shops on the left of the cinema.
Sinemanın solunda iki dükkân var.

Mr. Green's house is on the right of the station.
Bay Green'in evi istasyonun sağında.

My house is on the left of the station.
Benim evim istasyonun solunda.

On the right of the post office there is a baker's.
Benim evim istasyonun solunda.

There is a lorry on the right of the car.
Arabanın sağında bir kamyon var.

There are four books on the left of the vase.
Vazonun solunda dört kitap var.

There is a colour television on the right of the telephone.
Telefonun sağında renkli bir televizyon var.

She is putting the glass on the left of the plate.
Bardağı tabağın soluna koyuyor.

The bottle is on the right of the plate.
There is a map on the left of the blackboard.
The bag is on the right of the trousers.
The trousers are on the left of the bag.
The students are on the right of the teacher.
Mr. Brown's shop is on the left of the bank.
Is the lorry on the left of the car?

UYGULAMA

Boş bırakılan yerleri doldurunuz.

1. The butcher's is .... your right.
2. The park is on the left .... the theatre.
3. There is a cat .... the left of the bus.
4. She is putting her knife on .... left of the plate.
5. Is there a baker's .... the right of the butcher's?
6. There isn't a bathroom on the left .... the living room.
7. The radio .... onthe right and the television is on .... left.

AT

"At" edatını saatleri söylerken öğrendik.

at two o'clock	saat ikide
at half past three	üç buçukta
at a quarter past four	dördü çeyrek geçe
at twenty to nine	dokuza yirmi kala
at 10.30	10.30 da

HE	IS	AT	THE DOOR.

THEY	ARE	AT	THE CINEMA.

"At" edatı, aynı zamanda bir yerde, noktada veya bu noktanın civarında bulunuşu belirtirken kullanılır. "-de, -da" anlamını taşır.

at	-de, -da
at the door	kapıda
at the table	masada
at the cinema	sinemada
at the bus stop	otobüs durağında
at the theatre	tiyatroda
at the blackboard	karatahtada

Robert is at the door.	Robert kapıdadır.
Doris is at the cinema.	Doris sinemadadır.
Jane and Pamela are at the theatre.	Jane ve Pamela tiyatrodalar.
The student is at the blackbard.	Öğrenci tahtadadır.

The children are standing at the bus stop.	Öğrenciler otobüs durağında ayakta duruyorlar.
Mr. West's son is at the door.	Bay West'in oğlu kapıda.
There is a postman at the door.	Kapıda bir postacı var.
There are two policemen at the door.	Kapıda iki polis var.

Doris is at the seaside.
[doris iz et dı si:sayd]
Doris deniz kenarındadır.

Mr. West is at the museum.
[mistı west iz et dı myu:ziım]
Bay West müzededir.

Pamela is at a party.
[pemılı iz et ı pa:ti]
Pamela partidedir.

Mr. Black is at a meeting.
[mistı blek iz et ı mi:ting]
Bay Black toplantıdadır.

Mrs. Green is at Mrs. Black's house.
[misiz gri:n iz et misiz bleks haus]
Bayan Green Bayan Black'in evinde.

Robert is at the chemist's.
[robıt iz et dı kemists]
Robert eczanede.

CÜMLELER

Where is Sally? She's at the butcher's.	Sally nerede? Kasapta.
Mr. Black is at the door.	Bayan Black kapıda.
Tom is at the table.	Tom masada.
Mr. and Mrs. Green are not at their house.	Bay ve Bayan Black evlerinde değiller.
There are ten teachers at the meeting.	Toplantıda on öğretmen var.
Betty is not at the chemist's.	Betty eczanede değil.
Is she at the butcher's?	Kasapta mı?
No, she isn't. She is at the baker's.	Hayır, fırında.
There are two students at the blackboard.	Tahtada iki öğrenci var.

There aren't any students at the blackboard.
Tom is at Robert's house.
Pamela isn't here. She is at her brother's house.
Mr. and Mrs. Brown are at a museum.
We are at our teacher's house.
Who is at the door?
There is a fat man at the door.

"At" edatı oldukça yaygın bir kullanıma sahiptir. Bu edat **home** [houm] ev, **school** [sku:l] okul ve **work** [wö:k] iş sözcükleri ile kullanıldığında bu sözcüklerin önüne "**the**" gelmez.

at home	evde
at school	okulda
at work	işte

I am at home.	Evdeyim.
John is not at home.	John evde değil.
Is Sally at home?	Sally evde mi?
It's nine o'clock. Mr. Brown is not at home.	Saat dokuz. Bay Brown evde değil.
Where are the students? Are they at school?	Öğrenciler neredeler? Okuldalar mı?
Mr. and Mrs. White are at work.	Bay ve Bayan White işteler.

AT İLE IN ARASINDAKİ FARKLAR

Bir yerde bulunuş veya oluş anlatılırken **at** ve **in** edatları arasında bir ilişki vardır. **In,** bir varlık veya nesnenin kesin yerini belirler. Bir alan içindeki konumunu gösterir. "içinde, -de, da" anlamına gelir.

a) Ülke ve şehir isimlerinden önce **in** kullanılır.

in London	Londra'da
in Istanbul	İstanbul'da
in New York	New York'da
in Turkey	Türkiye'de
in England	İngiltere'de
in France	Fransa'da
London is in England.	Londra İngiltere'dedir.
Antalya is in the south of Turkey.	Antalya Türkiye'nin güneyindedir.
Where is Mr. Black? He is in England.	Bay Black nerede? İngiltere'de.

b) Küçük yerler ve bir şehrin semtleri için **at** kullanılır.

at Kadıköy	Kadıköy'de
at Fatih	Fatih'te
in Istanbul, at Merter	İstanbul'da, Merter'de
Our school is in Istanbul, at Merter.	Okulumuz Istanbul, Merter'dedir.
My house is at Moda.	Evim Moda'da.

Ancak bu kullanım günümüzde yerini daha çok **in** edatına terketmektedir. **In Kadıköy, in Merter, in Fatih** gibi ifadeler de şimdi kabul edilmektedir.

c) Bir şeyin içinde oluşu anlatmak için **IN** kullanılır.

in the box	kutuda (Kutunun içinde)
in the basket	sepette (Sepetin içinde)
The apples are in the basket.	Elmalar sepette.
The spoons are in the box.	Kaşıklar kutuda.

At ise biraz önce de gördüğümüz gibi bir şeyin içinde oluştan çok bir noktada veya civarında bulunuşu anlatmak için kullanılır.

at the door	kapıda
at the seaside	deniz kenarında
at the blackboard	karatahtada
at the bus stop	otobüs durağında

UYGULAMA

Aşağıda boş bırakılan yerlere **AT/IN** sözcüklerinden birini getiriniz.

1. The oranges are not here. Are they .... the basket?
2. My father is .... work.
3. Sally is .... the garden.
4. Is your mother .... home?
5. New York is .... the U.S.A.
6. Are there big hotels .... Eskişehir?
7. The student is .... the blackboard.
8. His shop is .... Çankaya .... Ankara.

Bu derste öğrendiğimiz sözcükler

sözcük	okunuşu	anlamı
right	[rayt]	sağ
left	[left]	sol
butcher's	[buçız]	kasap (dükkân)
greengrocer's	[gri:ngrousız]	manav (dükkân)
baker's	[beykız]	fırın
living room	[living ru:m]	oturma odası, yaşam odası
bathroom	[ba:tru:m]	banyo
seaside	[si:sayd]	deniz kenarı
museum	[myu:ziım]	müze
party	[pa:ti]	parti
meeting	[mi:ting]	toplantı
chemist's	[kemists]	eczane
work	[wö:k]	iş

GÜNLÜK KONUŞMALAR

DIALOGUE 1

Mrs. West: **Good morning, Miss Black. Please, sit down.**
[gud mo:ning mis blek pli:z sit daun]

Günaydın, Bayan Black. Lütfen, oturun.

Miss Black: **Thank you, Mrs. West.**
[tenk yu misiz west]

Teşekkür ederim, Bayan West.

Mrs. West: **How old are you, Miss Black?**
[hau ould a: yu mis blek]

Kaç yaşındasınız, Bayan Black?

Miss Black: **I'm twenty-three.**
[aym twenti tri:]

Yirmi üç.

Mrs. West: **Where are you from?**
[weır a: yu from]

Nerelisiniz?

Miss Black: **I'm from London.**
[aym from landın]

Londra'lıyım.

Mrs. West: **What's your father's job?**
[wots yo: fa:dız cob]

Babanızın mesleği ne?

Miss Black:	He's a dentist. [hi:z ı dentist] Dişçi.
Mrs. West:	And, what's your mother's job? [end wots yo: madız cob] Ve (Ya), annenizin mesleği?
Miss Black:	She's a housewife. [şi:z ı hauswayf] Ev hanımı.
Mrs. West:	Thank you very much, Miss Black. [tenk yu: veri maç mis blek] Çok teşekkür ederim, Bayan Black.
Miss Black:	Not at all. [not et o:l] Bir şey değil.

DIALOGUE 2

Director	:	What's your job, Mr. Jones? [wots yo: cob mistı counz] Mesleğiniz ne, Bay Jones?
Mr. Jones	:	I'm an English teacher. [aym en ingliş ti:çı] İngilizce öğretmeniyim.

Director	:	Are you married? [a: yu: merid] Evli misiniz?
Mr. Jones	:	Yes, I am. [yes ay em] Evet.
Director	:	What's your wife's job? [wots yo: wayfs cob] Eşinizin mesleği ne?
Mr. Jones	:	She's a chemist. [şi:z ı kemist] Eczacı.
Director	:	Have you got any children? [hev yu: got eni çildrın] Çocuğunuz var mı?
Mr. Jones	:	My son's five and my daughter's two. [may sanz fayv end may do:tız tu:] Oğlum beş ve kızım iki (yaşında).
Director	:	Thank you, Mr. Jones. [tenk yu: mistı counz] Teşekkür ederim, Bay Jones.
Mr. Jones	:	You're welcome. [yuı welkım] Bir şey değil.

Az önceki günlük konuşmalarda dikkat ettiğiniz gibi kişilerin hangi meslekten olduklarını öğrenmek için **What's your job?** [wots yo: cob] sorusu sorulur.

What your job? ─────────────▶ What's your job?

WHAT'S	YOUR	JOB ?

What's your job?   Mesleğiniz ne?
I'm a doctor.   Doktorum.

What's your job?		**Mesleğiniz ne?**	
I'm a teacher.		Öğretmenim.	

I'm a chemist.	Eczacıyım.
I'm a policeman.	Polisim.
I'm a dentist.	Dişçiyim.
I'm a postman.	Postacıyım.

Karşımızda bulunan kişinin annesinin, babasının, kardeşinin, eşinin ne iş yaptığını öğrenmek için ise, daha önce öğrendiğimiz **'s** ekinden yararlanarak aşağıdaki cümle kalıbını kullanırız.

WHAT'S	YOUR	FATHER'S MOTHER'S WIFE'S SISTER'S	JOB ?

Bu sorulara verilecek cevaplar ise şu biçimde oluşur.

What's your father's job?
[wots yo: fa:dız cob]
Babanızın mesleği ne?

He's a businessman.
[hi:z ı biznismın]
(O) İşadamı.

What's your mother's job?
[wots yo: madız cob]
Annenizin mesleği ne?

She's a housewife.
[şi:z ı hauswayf]
Ev hanımı.

What's your brother's job?
[wots yo: bradız cob]
Erkek kardeşinizin
mesleği ne?

He's a farmer.
[hi:z ı fa:mı]
Çiftçi.

What's your sister's job?
[wots yo: sistız cob]
Kız kardeşinizin mesleği ne?

She's a civil servant.
[şi:z ı sivıl sö:vınt]
Memur.

What's your wife's job?
[wots yo: wayfz cob]
Hanımınızın mesleği ne?

She's a lawyer.
[şi:z ı lo:yı]
Avukat.

What's your husband's job?
[wots yo: hazbındz cob]
Kocanızın mesleği ne?

He's an accountant.
[hi:z ın ıkauntınt]
Muhasebeci.

What's your son's job?
[wots yo: sanz cob]
Oğlunuzun mesleği ne?

He's an engineer.
[hi:z ın enciniı]
Mühendis.

What's your daughter's job?
[wots yo: do:tız cob]
Kızınızın mesleği ne?

She's a secretary.
[şi:z ı sekrıtri]
Sekreter.

UYGULAMA

A. Aşağıdaki resimlere uygun olarak sorulara cevap veriniz.

| MR. ATKINS | MRS. BLACK | MR. HARRIS | MISS MADELİN | MISS TAYLOR | MR. WEST |

1. **What's your job Mr. Atkins?**   I'm a policeman.
2. **What's your job Mrs. Black?**   I..........
3. **What's your job Mr. West?**   ....
4. **What's your job Miss Taylor?**   ....
5. **What's your job Miss Madelin?**   ....
6. **What's your job Mr. Harris?**   ....

B. Sorulara parantez içindeki ipuçlarına göre cevap veriniz.

Örnek: **What's your father's job? (Postman) He's a postman.**

1. **What's your wife's job? (Teacher)**...
2. **What's your husband's job? (Engineer)**...
3. **What's your daughter's job? (Lawyer)**..
4. **What's your mother's job? (Civil servant)**...
5. **What's your brother's job? (Dentist)**..

Bu derste öğrendiğimiz sözcükler

sözcük	okunuşu	anlamı
please	[pli:z]	lütfen
housewife	[hauswayf]	ev kadını, ev hanımı
not at all	[not et o:l]	bir şey değil
married	[merid]	evli
job	[cob]	meslek
chemist	[kemist]	eczacı
you're welcome	[yuı welkım]	bir şey değil
businessman	[biznismın]	iş adamı
farmer	[fa:mı]	çiftçi
civil servant	[sivıl sö:vınt]	memur
lawyer	[lo:yı]	avukat
accountant	[ıkauntınt]	muhasebeci
engineer	[enciniı]	mühendis
secretary	[sekrıtri]	sekreter
Jones	[counz]	bir soyadı
Atkins	[etkins]	bir soyadı
Harris	[heris]	bir soyadı
Taylor	[teylı]	bir soyadı

ders 11

HOW TALL

Bir kimsenin boyunu öğrenmek için **How tall?** [hau to:l] soru sözcüğünden yararlanılır. **How tall?** "Boyu ne kadar" anlamına gelir.

How tall?	Boyu ne kadar?
How tall are you?	Boyunuz ne kadar?
How tall is your father?	Babanızın boyu ne kadar?
How tall is your mother?	Annenizin boyu ne kadar?
How tall are they?	Onların boyları ne kadar?
How tall is Tom?	Tom'un boyu ne kadar?

HOW TALL	ARE	YOU ?

HOW TALL	IS	YOUR FATHER?

Bu sorulara metre ve santim ile cevap verilmek istendiğinde **metre** veya **meter** [mi:tı] ve **centimetre** [sentimi:tı] sözcükleri kullanılır.

How tall is Mr. Taylor?
[hau to:l iz mistı teylı]
Bay Taylor'un boyu ne kadar?

He is one metre, eighty-two centimetres tall.
[hi: iz wan mi:tır eyti tu: sentimi:tız to:l]
Bir metre seksen iki santimetre boyunda.

How tall are you?	Sizin boyunuz ne kadar?
I am one metre, sixty centimetres tall.	Ben bir metre altmış santimetre boyundayım.
How tall is your father?	Babanızın boyu ne kadar?
He is one meter, seventy-one centimetres tall.	Bir metre yetmiş bir santimetre boyunda.
How tall is the baby?	Bebeğin boyu ne kadar?
He is forty centimetres tall.	Kırk santimetre boyunda.

103

UYGULAMA

Örneğe uygun olarak soru sorunuz ve cevap veriniz.

| ALICE 1.80 m. | FRANK 1.92 m. | MR. ROBINSON 1.78 m. | SUSAN 1.68 m. | ALEX 1.67 m. | BILL 1.50 m. | BARBARA 1.62 m. |

Örnek:

How tall is Alice?   **She is one metre, eighty centimetres tall.**

1. **How tall is Frank?**   **He** ....
2. **How**...   ....
3. ....
4. ....
5. ....
6. ....

HOW HIGH

Bir şeyin yüksekliğini öğrenmek için **How high?** [hau hay] soru sözcüğü kullanılır. **How high?** "Yüksekliği ne kadar?" anlamına gelir.

How high?   Yüksekliği ne kadar?
How high is the mountain?   Dağın yüksekliği ne kadar?
How high is the Ağrı Mountain?   Ağrı dağının yüksekliği ne kadar?
How high is the Everest   Everest dağının yüksekliği ne
Mountain?   kadar?
How high is the bank?   Bankanın yüksekliği ne kadar?

Bu tür sorulara da yine metre cinsinden cevap verirken az önce öğrendiğimiz **metre** veya A.B.D. İngilizcesinde yazılan şekli ile **meter** sözcüğünü kullanarak cevap veriyoruz.

How high is the Ağrı Mountain? It is 5165 metres high. (It is five thousand, one hundred and sixty-five metres high.)

Ağrı dağının yüksekliği ne kadar? Yüksekliği 5165 metre. (Beş bin yüzaltmış beş metre yükseklikte.)

How high is the bank? It is sixty metres high.

Bankanın yüksekliği ne kadar? Altmış metre yükseklikte.

How high is the new hotel?
[hau hay iz **dı** nyu: houtel]
Yeni otelin yüksekliği ne kadar?

It is two hundred metres high.
[it iz tu: handrıd mi:tız hay]
İki yüz metre yükseklikte.

How high is the tower?
[hau hay iz **dı** tauı]
Kulenin yüksekliği ne kadar?

It is one hundred and fifty metres high.
[it iz wan handrıd **e**nd fifti mi:tız hay]
Yüzelli metre yükseklikte.

CÜMLELER

How high is your school?	Okulunuzun yüksekliği ne kadar?
It is thirty five metres high.	Otuzbeş metre yükseklikte.
How high is the Galata Tower?	Galata Kulesinin yüksekliği ne kadar?
How high is the Sheraton Hotel in İstanbul?	İstanbul'daki Sheraton Otelinin yüksekliği ne kadar?
How high is the Erciyas Mountain?	Erciyas dağının yüksekliği ne kadar?

How high is the theatre?
How high is that mountain?
How high is the new post office?
How high is the Clock Tower?

HOW FAR ?

İki yerin arasındaki uzaklığı öğrenmek için **How Far?** [hau fa:] soru sözcüğü ile başlayan kalıp cümle kullanılır. **How far?** "Ne kadar uzaklıkta?" demektir.

How far?	Ne kadar uzaklıkta?
How far is it?	O ne kadar uzaklıkta?
How far is it from here to the post office?	Postane buradan ne kadar uzaklıkta?
How far is it from here to the chemist's?	Eczane buradan ne kadar uzaklıkta?
How far is it from İstanbul to Ankara?	Ankara İstanbul'dan ne kadar uzaklıkta?
How far is it from New York to London?	Londra New York'tan ne kadar uzaklıkta?
How far is it from your house to your school?	Okulunuz evinizden ne kadar uzaklıkta?

HOW FAR	IS IT	FROM	LONDON	TO	NEW YORK ?

Dikkat ettiğiniz gibi bu tür soruları sormak için:

How far is it from .... to .... ?

cümle kalıbını kullanıyoruz. Bu kalıba göre, örneğin Ankara ile İzmir arasındaki mesafeyi öğrenmek için yapacağımız tek işlem, bu şehir adlarını yukarıda belirtilen yere koymaktır.

How far is it from .... to ....?
How far is it from Ankara to İzmir?

........., ...dan ne kadar uzaklıkta?
İzmir Ankara'dan ne kadar uzaklıkta?

Bu sorulara metrik sistem cevap vermek için **Its......... kilometres** [its .... kilimi:tız], **It is .... metres** [it iz .... mi:tız] ile başlayan cümleler kurulur.

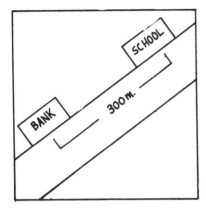

How far is it from the bank to the school?
[hau fa:r iz it from dı benk tu dı sku:l]
Okul bankadan ne kadar uzaklıktadır?

It is three hundred metres from the bank to the school.
[it iz tri: handrıd mi:tız from dı benk tu dı sku:l]
Okul bankadan üç yüz metre uzaklıktadır.

How far is it from İstanbul to İzmir?
[hau fa:r iz it from istanbul tu izmir]
İzmir İstanbul'dan ne kadar uzaklıktadır?

It is five hundred and seventy-eight kilometres from Istanbul to Izmir.
[it iz fayv handrıd end sevınti eyt kilımi:tız from istanbul tu izmir]
İzmir İstanbul'dan beşyüz yetmiş sekiz kilometre uzaklıktadır.

How far is it from Ankara to Istanbul?
It is 441 kilometres from Ankara to İstanbul.
How far is it from the shop to the bank?
It is ten metres from the shop to the bank.

İstanbul Ankara'dan ne kadar uzaklıktadır?
İstanbul Ankara'dan 441 kilometre uzaklıktadır.
Banka dükkândan ne kadar uzaklıktadır?
Banka dükkândan on metre uzaklıktadır.

IT	IS	FIFTY KILOMETRES	FROM	THE BANK	TO	THE PARK

107

CÜMLELER

How far is it from your house to the station?	İstasyon evinizden ne kadar uzaklıkta?
It is one hundred metres from my house to the station.	İstasyon evimden yüz metre uzaklıktadır.
How far is it from the hospital to the chemist's?	Eczane hastaneden ne kadar uzaklıktadır?
It is three hundred and fifty metres from the hospital to the chemist's.	Eczane hastaneden üç yüz elli metre uzaklıktadır.

How far is it from the grocer's to the butcher's?
How far is it from the baker's to the greengrocer's?
How far is it from your village to the city?
How far is it from the bank to the restaurant?
How far is it from the bus stop to the hospital?
It is two kilometres from the park to the school.
It is five kilometres from here to the seaside.
It is two thousand kilometres from here to Kars.
It is seven hundred and fifty metres from the theatre to the shops.
It is one hundred and twenty metres from here to my school.

UYGULAMA

Aşağıdaki mesafe tablosuna bakarak sorulara cevap veriniz.

ISTANBUL	Istanbul				
ANKARA	441	Ankara			
İZMİR	578	586	İzmir		
BURSA	228	388	350	Bursa	
ADANA	922	481	900	842	Adana
ERZURUM	1280	869	1455	846	919

Örnek: **How far is it from Ankara to Istanbul?**
It is four hundred and forty one kilometres from Ankara to İstanbul.

1. **How far is it from Adana to Bursa?**
2. **How far is it from Erzurum to Bursa?**
3. **How far is it from İzmir to Ankara?**
4. **How far is it from Erzurum to Istanbul?**
5. **How far is it from İstanbul to Adana?**
6. **How far is it from Bursa to Istanbul?**
7. **How far is it from İzmir to Bursa?**

Bu derste öğrendiğimiz sözcükler

sözcük	okunuşu	anlamı
how tall	[hau to:l]	boyu ne kadar
hotel	[houtel]	otel
tower	[tauı]	kule
how high	[hau hay]	ne kadar yüksek- likte
how far	[hau fa:]	ne kadar uzaklıkta
from .... to ...	[from .... tu .....]	.....den..... ye
metre, meter	[mi:tı]	metre
centimetre, centimeter	[sentimi:tı]	santimetre
kilometre, kilometer	[kilımi:tı]	kilometre
Alice	[elis]	bir bayan ismi
Frank	[frenk]	bir erkek ismi
Robinson	[robinsın]	bir soyadı
Susan	[su:zın]	bir bayan ismi
Alex	[eliks]	bir erkek ismi
Bill	[bil]	bir erkek ismi

ders 12

ÇOĞUL İSİMLERE TAMLAMA EKİ ('S) GETİRİLMESİ

Şahıs gösteren isimler ile isim tamlaması yapılırken ilk ismin sonuna **'s** getirildiğini öğrenmiştik.

Bill's	Bill'in
Bill's tie	Bill'in kravatı
Mrs. Taylor's	Bayan Taylor'un
Mrs. Taylor's skirt	Bayan Taylor'un eteği
The girl's	Kızın
The girl's bag	Kızın çantası

Şimdi çoğul halde bulunan, yani sonunda genellikle çoğul eki **-s** veya **-es** olan isimlere **'s** ilavesinin nasıl yapılacağını öğrenelim.

Çoğul halde bulunan isimlerin sonunda çoğunlukla **-s** veya **-es** bulunduğu için bunlarla isim tamlaması yapılırken **'s** ilave edilmez, sözcüğün sonuna yalnızca bir kesme işareti (') getirilir.

the girl's bag	kızın çantası
the girls'	kızların
the girls' bag	kızların çantası
the girls' bags	kızların çantaları
the teacher's	öğretmenin
the teacher's room	öğretmenin odası
the teachers'	öğretmenlerin
the teachers' room	öğretmenlerin odası
my son's books	oğlumun kitapları
my sons' books	oğullarımın kitapları
my daughter's cat	kızımın kedisi
my daughters' cat	kızlarımın kedisi

| the student's name | öğrencinin ismi |
| the students' names | öğrencilerin isimleri |

the farmer's horse	çiftçinin atı
the farmers' horse	çitfçilerin atı
the farmers' horses	çitfçilerin atları

This is my son's school.	Bu oğlumun okulu(dur).
That is my daughters' house.	Şu kızlarımın evi(dir).
These are the teachers' books.	Bunlar öğretmenlerin kitapları(dır).
Those are the students' notebooks.	Şunlar öğrencilerin defterleri(dir).
Mrs. Robinson's daughters' school is near the station.	Bayan Robinson'un kızlarının okulu istasyonun yanında.
What are your daughters' names?	Kızlarınızın isimleri ne?
What are your brothers' names?	Erkek kardeşlerinizin isimleri ne?

THIS	IS	MY	DAUGHTERS'	HOUSE.

Düzensiz halde bulunan çoğullara (örneğin **policemen, women, children**) yine **'s** eki getirilir.

| the policeman's car | polisin arabası |
| the policemen's car | polislerin arabası |

the child's book	çocuğun kitabı
the child's books	çocuğun kitapları
the children's books	çocukların kitapları

the man's tooth	adamın dişi
the man's teeth	adamın dişleri
the men's teeth	adamların dişleri

| the postman's hat | postacının şapkası |
| the postmen's hats | postacıların şapkaları |

UYGULAMA

Aşağıdaki Türkçe deyişleri İngilizceye çeviriniz.

1. Öğrencilerin sınıfı
2. Kızlarımın şapkaları
3. Kadınların saçı
4. Doktorların kitapları
5. Öğretmenlerin sözlükleri
6. Oğullarımın mektupları
7. Çocukların ayakkabıları

SAYILABİLEN VE SAYILAMAYAN İSİMLER

İngilizce'de iki, üç, beş, elli gibi sayılar ile belirtebildiğimiz, önlerine **a/an** getirebildiğimiz, çoğul hale sokulabilen isimlere "Sayılabilen İsimler" denir.

a book	bir kitap
the book	kitap
two books	iki kitap
ten books	on kitap
a table	bir masa
three tables	üç masa
five tables	beş masa
an egg	bir yumurta
six eggs	altı yumurta
some eggs	birkaç yumurta
a woman	bir kadın
two women	iki kadın
twenty women	yirmi kadın
four chairs	dört sandalye
a wall	bir duvar
a lawyer	bir avukat
a secretary	bir sekreter
two secretaries	iki sekreter
seven engineers	yedi mühendis

Örneklerdeki **book, table, egg, woman, chair, wall, lawyer, secretary** sözcükleri sayılması ve gerektiğinde önüne bir sayı konarak adedinin belirtilmesi mümkün varlıkları göstermektedir.

Bazı isimler de sayılması mümkün olmayan şeylerdir. Bunlara "Sayılamayan İsimler" denir. Bunlar çoğunlukla su, çay, kahve, gaz gibi sıvılar, un, tuz, şeker, peynir gibi kütle isimleri, altın, gümüş, bakır gibi madenlerdir.

milk	süt
water	su
bread	ekmek

sözcüklerini daha önceki derslerimizden hatırlayacaksınız. Bu sözcükler İngilizce'de sayılamayan isimler grubuna girerler. Sayılamadıkları için de önlerine **a, an** veya sayı gösteren bir sözcük konulamaz veya çoğul yapılamazlar.

Dikkat ediniz. Türkçe'de bu gibi isimler önünde sayı sözcüklerinin kullanıldığı görülür. "bir su" "iki çay" "üç tuz" "beş ekmek" gibi) Ancak burada "bir su" "bir bardak su" veya "bir şişe su" anlamında, "iki çay" "iki bardak çay", "üç tuz" "üç paket tuz", "beş ekmek" "beş somun ekmek" anlamındadır. Yani bu sözlerdeki sayılan şey aslında (söylenmemiş olduğu halde anlaşılan) "bardak, şişe, paket, somun" dur.

O halde öğreneceğimiz birinci kural, bu tür sayılamayan isimlerin önüne **a/an** ekini veya herhangi bir sayı gösteren sözcüğü getirmemektir.

Şimdi sayılamayan isimlerden birkaç örnek görelim.

tea
[ti:]
çay

coffee
[**ko**fi]
kahve

sugar
[şugı]
şeker

salt
[so:lt]
tuz

pepper
[pepı]
biber

cheese
[çi:z]
peynir

butter
[batı]
tereyağı

jam
[cem]
reçel

This is a glass.	Bu bir bardaktır.
This is water.	Bu sudur.
That is a teapot.	Şu çaydanlıktır.
That is tea.	Şu çaydır.
There is a teapot on the table.	Masanın üstünde bir çaydanlık var.
There are two glasses on the table.	Masanın üstünde iki bardak var.
There is tea on the table.	Masanın üstünde çay var.

This is an egg.
This is salt.

Is this tea or coffee?
Is this an apple   or an orange?

Bu bir yumurtadır.
Bu tuzdur.

Bu çay mı yoksa kahve mi?
Bu elma mı yoksa portakal mı?

Alice is eating an egg.
Alice bir yumurta yiyor.

Betty is eating bread and butter.
Betty ekmek ve tereyağı yiyor.

Frank is drinking tea.
Frank çay içiyor.

Peter is eating an apple.
Peter bir elma yiyor.

The woman is putting the knives and forks in the box.
Kadın kutuya bıçakları ve çatalları koyuyor.

The girl is putting sugar in the box.
Kız kutuya şeker koyuyor.

UYGULAMA

Aşağıdaki isimlerin yanına sayılabilir iseler a, sayılamaz iseler b harfi koyunuz.

1. gloves
2. jam
3. accountant
4. comb
5. bread
6. pepper
7. village

Bu derste öğrendiğimiz sözcükler

sözcük	okunuşu	anlamı
tea	[ti:]	çay
coffee	[kofi]	kahve
sugar	[şugı]	şeker
salt	[so:lt]	tuz
pepper	[pepı]	biber
cheese	[çi:z]	peynir
butter	[batı]	tereyağı
jam	[cem]	reçel

ders 13

SAYILAMAYAN İSİMLERLE (SOME) VE (ANY)

Sayılabilen isimlerin önünde "birkaç" anlamını verdiğini daha önce öğrendiğimiz **some** sözcüğü sayılamayan isimlerin önünde (tuz, şeker, kahve, çay gibi) kullanıldığı zaman "bir miktar, biraz" anlamına gelir.

some	birkaç
some pens	birkaç kalem
some oranges	birkaç portakal
some policemen	birkaç polis
some glasses	birkaç bardak
some trees	birkaç ağaç
some	bir miktar, biraz
some tea	bir miktar çay, biraz çay
some cheese	biraz peynir
some milk	biraz süt
some coffee	biraz kahve
some butter	biraz tereyağı

Sayılamayan isimlerle **some** sözcüğü kullanılırken, vardır anlamına gelen **there is** kalıbı oldukça yaygın biçimde kullanılır.

There is some tea in the teapot.	Çaydanlıkta biraz çay var.
There is some water in the glass.	Bardakta biraz su var.
There is some coffee on the table.	Masanın üstünde biraz kahve var.
There is some bread at home.	Evde biraz ekmek var.
There is some jam near the glasses.	Bardakların yanında biraz reçel var.
There is some water in this bottle.	Bu şişede biraz su var.
There is some flour near the box.	Kutunun yanında biraz un var.
There is some pepper near the glasses.	Bardakların yanında biraz biber var.

There is some sugar in the kitchen.	Mutfakta biraz şeker var.

Put some sugar in the tea.	Çaya biraz şeker koy.
Put some salt on the butter.	Tereyağının üstüne biraz tuz koy.
Put some jam on my bread.	Ekmeğime biraz reçel koy.
Put some chocolate on the table.	Masanın üstüne biraz çikolata koy.

The man is drinking some tea.	Adam biraz çay içiyor.
The woman is drinking some water.	Kadın biraz su içiyor.
Tom is eating some bread and butter.	Tom biraz ekmek ve tereyağı yiyor.
I am eating some jam.	Biraz reçel yiyorum.

Olumlu cümlelerde kullanılan **some** sözcüğünün yerine, soru ve olumsuz cümlelerde **any** kullanıldığını öğrenmiştik. Aynı kural burada da uygulanır.

There is some water in this bottle.
[deır iz sam wo:tır in dis botıl]
Bu şişede biraz su var.

Is there any water in this bottle?
[iz deır eni wo:tır in dis botıl]
Bu şişede (hiç) su var mı?

There isn't any butter on the table.
[deır izınt eni batır on dı teybıl]
Masanın üstünde tereyağı yok.

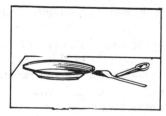

There isn't any salt on the table.
[deır izınt eni so:lt on dı teybıl]
Masanın üstünde tuz yok.

THERE	IS	SOME TEA	IN	THE	CUP.

There is some milk in the refrigerator.
[deır iz sam milk in **dı** rifrıcıreytı]
Buzdolabında biraz süt var.

The woman is buying some flour.
[**dı** wumın iz baying sam flauı]
Kadın biraz un satın alıyor.

There is some meat in the kitchen.
[deır iz sam mi:t in **dı** kiçin]
Mutfakta biraz et var.

The girl is eating some chocolate.
[**dı** gö:l iz i:ting sam çoklit]
Kız biraz çikolata yiyor.

There is some tea   in the cupboard.
[deır iz sam ti: in **dı** kabıd]
Mutfak dolabında biraz çay var.

The boys are buying some ice cream.
[**dı** boyz a: baying sam ays kri:m]
Çocuklar biraz dondurma satın alıyorlar.

THERE	ISN'T	ANY MILK	IN	THE	BOTTLE.

IS	THERE	ANY TEA	IN	THE	HOUSE?

Is there any cheese in the refrigerator?	Buzdolabında (hiç) peynir var mı?
Is there any bread at home?	Evde ekmek var mı?
Is there any sugar in the kitchen?	Mutfakta şeker var mı?
Is there any tea on the table?	Masanın üstünde çay var mı?
There isn't any bread at home.	Evde (hiç) ekmek yok.
There isn't any pepper on the table.	Masanın üstünde biber yok.
There isn't any ice cream.	Dondurma yok.
There isn't any water in the glass.	Bardakta su yok.
He is drinking some tea.	Biraz çay içiyor.
Is he drinking any tea?	(Hiç) Çay içiyor mu?
He isn't drinking any tea.	Hiç çay içmiyor.
She is eating some ice cream.	Biraz dondurma yiyor.
Is she eating any ice cream?	Dondurma yiyor mu?
She isn't eating any ice cream.	Hiç dondurma yemiyor.

UYGULAMA

A. Aşağıdaki cümlelerde boş bırakılan yerlere **some** veya **any** sözcüklerinden birini getiriniz.

1. Is there .... cheese in the kitchen?
2. There is .... milk in the refrigerator.
3. There isn't .... water on the table.
4. Is there .... butter?
5. Doris is eating .... bread.
6. The children are eating .... ice cream.
7. Are you eating .... butter?

B. Bu cümleleri olumsuz yapınız.

1. There is some milk in the cup.
2. There is some meat in the kitchen.
3. Mrs. Taylor is buying some flour.
4. We are drinking some tea.
5. The boys are eating some chocolate.
6. Put some tea on the table.
7. There is some bread here.

Bu derste öğrendiğimiz sözcükler

sözcük	okunuşu	anlamı
refrigerator	[rifrıcıreytı]	buzdolabı
flour	[flauı]	un
meat	[mi:t]	et
chocolate	[çoklit]	çikolata
cupboard	[kabıd]	mutfak dolabı
to buy	[tu bay]	satın almak

ders 14

HOW MANY?   HOW MUCH?

"Kaç, kaç tane" anlamına gelen **How many** soru sözcüğünü kitabımızın birinci cildinin 21.nci dersinden hatırlayacaksınız.

how many	kaç, kaç tane
how many apples?	kaç elma?
how many students?	kaç öğrenci?
how many engineers?	kaç mühendis?
how many glasses?	kaç bardak?

How many cats are there in the garden?	Bahçede kaç kedi var?
How many women are there on the bus?	Otobüste kaç kadın var?
How many students are there in your class?	Sınıfınızda kaç öğrenci var?
How many schools are there in this city?	Bu şehirde kaç okul var?

How many brothers have you got?	Kaç erkek kardeşiniz var?
How many children have you got?	Kaç çocuğunuz var?
How many sons has Mr. West got?	Bay West'in kaç oğlu var?
How many skirts has Jane got?	Jane'in kaç eteği var?

Bu tür sorulara yine hatırlayacağınız gibi, ya bir sayı ile (iki, üç, beş..), ya da **some** "birkaç" sözcüğünden yararlanılarak cevap vermek mümkün oluyordu.

How many schools are there in this city?	Bu şehirde kaç okul var?
There are five schools.	Beş okul var.
How many parks are there in Istanbul?	İstanbul'da kaç park var?
There are three big parks.	Üç büyük park vardır.
How many cities are there in Turkey?	Türkiye'de kaç şehir vardır?

There are sixty-seven cities.	Altmış yedi şehir vardır.
How many eggs are there in the basket?	Sepette kaç yumurta vardır?
There are ten eggs.	On yumurta vardır.
How many telephones are there in this room?	Bu odada kaç telefon vardır?
There are five telephones.	Beş telefon vardır.
How many cinemas are there on this street?	Bu caddede kaç sinema vardır?
There are two.	İki tane var.
How many students are there in the garden?	Bahçede kaç öğrenci vardır?
There are some.	Birkaç tane var.
How many brothers have you got?	Kaç erkek kardeşiniz var?
I have got two brothers.	İki erkek kardeşim var.
How many children has Mrs. Green got?	Bayan Green'in kaç çocuğu var?
She has got four children.	Dört çocuğu var.

Dikkat ettiğiniz gibi, yukarıda **How many** soru sözcüğünden hemen sonra gelen isimlerin tümü de sayılabilen isimlerdir. (şehir, öğrenci, sinema, telefon gibi) Sayılamayan isimlerin miktarını öğrenmek için ise bir başka soru sözcüğü olan **How much** [hau maç] dan yararlanacağız.

HOW MUCH

How much? [hau maç] "Ne kadar?" anlamına gelir ve sayılamayan bir ismin miktarını sormak için kullanılır.

how much?	ne kadar?
how much cheese?	ne kadar peynir?
how much water?	ne kadar su?
how much bread?	ne kadar ekmek?
how much chocolate?	ne kadar çikolata?
how much meat?	ne kadar et?
how much sugar?	ne kadar şeker?
how much butter?	ne kadar tereyağı?
how much coffee?	ne kadar kahve?

Sayılamayan bir ismin miktarını öğrenmek için kullanılan "ne kadar ....
var?" sorusu İngilizce'de **how much?** soru sözcüğü ile birlikte **there is** "var"
sözcüğünün soru şekli olan **is there?** kullanmak suretiyle yapılır. Miktarı so-
rulan isim tekil olarak, (bildiğiniz gibi sayılamayan isimlerin sonunda **-s** ta-
kısı bulunmaz) **how much** ile **is there** arasında yer alır.

how much?	ne kadar?
how much .... is there?	ne kadar .... var?
how much milk?	ne kadar süt?
how much milk is there?	ne kadar süt var?
how much tea is there?	ne kadar çay var?
how much sugar is there?	ne kadar şeker var?
how much meat is there?	ne kadar et var?
how much bread is there?	ne kadar ekmek var?

Bu soruları daha da genişletebiliriz.

How much milk is there?	Ne kadar süt var?
How much milk is there in the refrigerator?	Buzdolabında ne kadar süt var?
How much tea is there in the house?	Evde ne kadar çay var?
How much water is there in the bottle?	Şişede ne kadar su var?
How much cheese is there on the plate?	Tabakta ne kadar peynir var?
how much sugar?	ne kadar şeker?
How much sugar is there?	ne kadar şeker var?
How much sugar is there in the kitchen?	Mutfakta ne kadar şeker var?

HOW MUCH	MILK	IS	THERE	IN	THE	BOTTLE ?

How much pepper is there on the table?
How much cheese is there in the refrigerator?
How much coffee is there at home?
How much bread is there on the table?
How much salt is there in the kitchen?

Aşağıdaki soru cümlelerinin başına **How much** veya **How many** soru söz-
cüklerinden birini getiriniz.

1. .... **milk is there in the kitchen?**
2. .... **apples are there on the table?**
3. .... **salt is there on the table?**
4. .... **bread is there in the kitchen?**
5. .... **eggs are there in the refrigerator?**
6. .... **butter is there in the refrigerator?**
7. .... **soldiers are there in front of the station?**

A LOT OF

A lot of [ı lot ov] "Çok, birçok" anlamındadır. Sayısı veya miktarı sorulan şe-
yin sayısı ya da miktarı kesin olarak bilinmiyorsa, ancak sayı ya da miktar
bir hayli fazla ise soruya cevap vermek için **a lot of** kullanılır. Üç sözcükten
oluşan birleşimdeki sözcüklerin ayrı ayrı anlamları üzerinde düşünmeyiniz.
Üçünü birden tek bir sözcükmüş gibi kabul ediniz.

A lot of yalnızca olumlu cümlelerde kullanılır. Hem sayılabilen, hem de sayı-
lamayan isimlerle birlikte görülür.

a lot of	çok, birçok
a lot of apples	birçok elma(lar), çok elma(lar)
a lot of milk	çok süt
a lot of books	birçok kitap
a lot of bread	çok ekmek
a lot of plates	çok tabak
a lot of eggs	çok yumurta
a lot of sugar	çok şeker
a lot of meat	çok et
a lot of tomatoes	çok domates
a lot of knives	çok bıçak
a lot of coffee	çok kahve
There is a lot of milk in this bottle.	Bu şişede çok süt var.
There are a lot of bottles on this table.	Bu masanın üstünde çok şişe var.

There are a lot of chairs in the room.	Odada çok sandalye var.
There is a lot of bread in the house.	Evde çok ekmek var.

How many glasses are there on the table?	Masanın üstünde kaç tane bardak var?
There are a lot of glasses.	Çok bardak var.
How much milk is there in the glasses?	Bardaklarda ne kadar süt var?
There is a lot of milk in the glasses.	Bardaklarda çok süt var.

How much sugar is there at home?	Evde ne kadar şeker var?
How many peaches are there in the refrigerator?	Buzdolabında kaç tane şeftali var?
There are a lot of peaches in the refrigerator.	Buzdolabında çok şeftali var.
How much butter is there?	Ne kadar tereyağı var?
There is a lot of butter.	Çok tereyağı var.
How many eggs are there?	Kaç tane yumurta var?
There are a lot of eggs.	Çok yumurta var.

THERE ARE	A LOT OF EGGS	IN	THE REFRIGERATOR.

THERE IS	A LOT OF BUTTER	IN	THE REFRIGERATOR.

There are a lot of stamps on the table.
[deır a:r ı lot ov stemps on dı teybıl]
Masanın üstünde çok pul var.

There is a lot of vinegar at home.
[deır iz ı lot ov vinigır et houm]
Evde çok sirke var.

There are a lot of olives on the plate.
[deır a:r ı lot ov olivz on dı pleyt]
Tabağın içinde çok zeytin var.

There is a lot of olive oil in the house.
[deır iz ı lot ov oliv oyl in dı haus]
Evde çok zeytinyağı var.

There is a lot of paper on the table.
[deır iz ı lot ov peypır on dı teybıl]
Masanın üstünde çok kağıt var.

There are a lot of students in the garden.	Bahçede birçok öğrenci var.
There are a lot of pencils in the box.	Kutuda birçok kalem var.
There are a lot of policemen in the park.	Parkta birçok polis var.
There are a lot of restaurants on this street.	Bu caddede birçok lokanta var.
There are a lot of good shops near here.	Buranın yakınlarında birçok iyi dükkân var.
There are a lot of dirty plates on the table.	Masanın üstünde birçok kirli tabak var.
There is a lot of bread on the table.	Masanın üstünde çok ekmek var.
There is a lot of sugar in this tea.	Bu çayda çok şeker var.
I have got a lot of stamps.	Birçok pulum var.
He has got a lot of books.	Çok kitabı var.
Susan has got a lot of hats.	Susan'ın çok şapkası var.
They have got a lot of houses.	Çok evleri var.

She is eating a lot of apples.	Çok elma yiyor.
He is writing a lot of letters.	Çok mektup yazıyor.
The students are reading a lot of books.	Öğrenciler çok kitap okuyorlar.
You are drinking a lot of tea.	Çok çay içiyorsun.
Tom is putting a lot of sugar in his tea.	Tom çayına çok şeker koyuyor.
Mrs. Black is buying a lot of tea.	Bayan Black çok çay satın alıyor.

Bu derste öğrendiğimiz sözcükler

sözcük	okunuşu	anlamı
how much	[hau maç]	ne kadar
a lot of	[ı lot ov]	çok, birçok
stamp	[stemp]	pul
vinegar	[vinigı]	sirke
olive	[oliv]	zeytin
olive oil	[oliv oyl]	zeytinyağı
paper	[peypı]	kağıt

ders 15

A FEW, A LITTLE

Sayısı veya miktarı sorulan isim az sayıda veya az miktarda ise **a few** veya **a little** ile anlatılır. Bu sözcükler, geçen dersimizde öğrendiğimiz **a lot of** birleşiminin karşıtıdır. **A few** [ı fyu:] sayılabilen isimlerle, **a little** [ı litıl] ise sayılamayan isimlerle birlikte olumlu cümlelerde kullanılır. Bunların kullanılışlarını görmeden önce, **a lot of**'un kullanılışını ve hem sayılabilen hem de sayılamayan isimlerle birlikte bulunabildiğini birkaç örnek ile hatırlayalım.

a lot of books	çok kitap
a lot of salt	çok tuz
a lot of cars	çok araba
a lot of bread	çok ekmek

A FEW

A few [ı fyu:] "az sayıda, birkaç tane" anlamına gelir. Sayılabilen isimlerle birlikte kullanılır. **A lot of**'un karşıtıdır.

a few	birkaç tane, az sayıda
a few glasses	birkaç bardak, bir iki bardak
a few birds	birkaç kuş
a few cars	birkaç araba
a few oranges	birkaç portakal

There are a few plates.	Birkaç tabak var.
There are a few plates on the table.	Masanın üstünde birkaç tabak var.
There are a few forks on the table.	Masanın üstünde birkaç çatal var.
There are a few glasses near the plate.	Tabağın yanında birkaç bardak var.

There are a few books on the table.	Masanın üstünde birkaç kitap var.
There are a few children in the garden.	Bahçede birkaç çocuk var.
There are a few cars on the street.	Caddede birkaç araba var.
There are a lot of buses.	Çok otobüs var.

I have got a few red pens.	Birkaç tane kırmızı kalemim var.
I have got a lot of blue pens.	Birçok mavi kalemim var.
Mary is buying a few oranges.	Mary birkaç tane limon satın alıyor.
She is buying a lot of oranges.	Çok portakal satın alıyor.

Özetlemek gerekirse sayılabilen isimlerde çokluk bildirirken **a lot of** azlık bildirirken **a few** sözcüklerinden yararlanılır.

A few ———▶ Az, az sayıda   **A lot of** ———▶ Çok, çok sayıda, birçok

A LITTLE

Sayılabilen isimlerin önüne gelerek onların az olduğunu gösteren **a few** sözcüğü sayılamayan şeylerin az miktarda oluşunu göstermek için kullanılmaz. Sayılamayan şeylerin az miktarda oluşunu göstermek için kullanılacak sözcük "az bir miktar, az, biraz" anlamında olan **a little** [ı litıl] sözcüğüdür.

A little sayılamayan isimlerle kullanılır ve önünde bulunduğu ismin az bir miktar olduğunu gösterir. **A lot of**'un karşıtıdır.

a little water	biraz su, az bir miktar su
a little flour	az bir miktar un, biraz un
a little butter	biraz tereyağı
a little bread	biraz ekmek, az bir miktar ekmek
a little milk	az bir miktar süt, biraz süt
There is a little milk.	Biraz süt var.
There is a little milk in the bottle.	Şişede az bir miktar süt var.
There is a little coffee.	Az miktarda (biraz) kahve var.
Tnere is a little coffee at home.	Evde az bir miktar kahve var.
There is a little salt on the plate.	Tabakta az bir miktar tuz var.
There is a little tea in your cup.	Fincanınızda az bir miktar çay var.
There is a little jam in the box.	Kutuda biraz reçel var.
There is a little milk in the coffee.	Kahvede az bir miktar süt var.

There is a little water in this bottle.
Bu şişede az bir miktar su var.

There is a lot of water in this bottle.
Bu şişede çok su var.

A little ⟶ Az miktarda, az

A lot of ⟶ Çok miktarda, çok

Tüm öğrendiklerimizi bir kez daha gözden geçirirsek:

Sayılabilen isimler ile:	**A lot of** (çok, çok sayıda) **A few** (az, az sayıda)
Sayılamayan isimler ile:	**A lot of** (çok, çok miktarda) **A little** (az miktarda)

sözcükleri kullanılır.

UYGULAMA

Aşağıdaki cümlelerde boş bırakılan yerlere **a few** veya **a little** getiriniz.

1. **There are .... students in the classroom.**
2. **She is putting .... sugar in her tea.**
3. **He is reading .... books.**
4. **There is .... water in her glass.**
5. **There are .... children here.**
6. **There are .... eggs in that box.**
7. **There is .... salt in the kitchen.**

MANY MUCH

Şimdiye kadar sayılabilen ve sayılamayan isimlerin azlık veya çokluk durumunu anlatan olumlu cümleler üzerinde durduk. Şimdi de bu tür cümlelerin soru ve olumsuz biçimleri üzerinde duracağız. Olumsuz ve soru biçimlerinde sayılabilen isimlerle **many**, sayılamayan isimlerle **much** kullanılır.

Are there many policemen in the park?	Parkta çok polis var mı?
Yes, there are.	Evet, var.
Are there many parks in this city?	Bu şehirde çok park var mı?
Yes, there are. There are a lot of parks.	Evet, var. Çok park var.
Are there many students in the classroom?	Sınıfta çok öğrenci var mı?
No, there aren't many students in the classroom.	Hayır, sınıfta çok öğrenci yok.
Are there many oranges in the basket?	Sepette çok portakal var mı?
Yes, there are a lot of oranges in the basket.	Evet, sepette çok portakal var.
Are there many cars on the street?	Caddede çok araba var mı?
No, there aren't many cars on the street. There are a few cars.	Hayır, caddede çok araba yok. Az araba var.

Genellikle olumsuz veya soru halindeki cümlelerle kullanılan **many** sözcüğü sadece sayılabilen isimlerle birlikte kullanılır. Sayılamayan isimlerin önünde **many** kullanılmaz. Onun yerine yine aynı anlamı, yani "çok, çok miktarda" anlamını veren **much** kullanılır.

much water	çok su
much butter	çok tereyağı
much meat	çok et
much coffee	çok kahve

Many sözcüğünün soru veya olumsuz haldeki cümlelerde kullanıldığını, olumlu cümlelerde bunun yerini **a lot of**'un aldığını öğrenmiştik. **Much** için de böyle bir durum vardır.

Sayılamayan isimlerle kullanılan **much** sadece olumsuz ve soru halindeki cümlelerde kullanılır. Bu cümleler olumlu olduğu taktirde mutlaka **a lot of** getirilir.

There is a lot of sugar in the cup.	Fincanda çok şeker var.
Is there much tea in the cup?	Fincanda çok çay var mı?
There isn't much milk in the cup.	Fincanda çok çay yok.

There is a lot of bread at home.	Evde çok ekmek var.
Is there much bread at home?	Evde çok ekmek var mı?
No, there isn't much bread at home.	Hayır, evde çok ekmek yok.
There is a little milk in this bottle.	Bu şişede az süt var.
Is there much milk in this glass?	Bu şişede çok süt var mı?
No, there isn't much milk in this bottle.	Hayır, bu şişede çok süt yok.
There isn't much meat in the shop.	Dükkânda çok et yok.
There isn't much tea here.	Burada çok çay yok.
There isn't much salt.	Çok tuz yok.
There isn't much butter.	Fazla tereyağı yok.

Is there much tea at home?	Evde çok çay var mı?
Is there much milk in the bottle?	Şişede çok süt var mı?
Is there much cheese in the refrigerator?	Buzdolabında çok peynir var mı?

IS THERE	MUCH WATER	IN THE BOTTLE ?
ARE THERE	MANY BOOKS	ON THE TABLE ?
THERE ARE	A LOT OF EGGS	IN THE REFRIGERATOR.

I haven't got much money.
[ay hevınt got maç mani]
Çok param yok.

I haven't got many friends.
[ay hevınt got meni frendz]
Çok arkadaşım yok.

Are there many workers at the factory?
[a: deı meni wö:kız et dı fektıri]
Fabrikada çok işçi var mı?

Is there much chalk in the box?
[iz deı maç ço:k in dı boks]
Kutuda çok tebeşir var mı?

Is there much salt in the soup?
[iz deı maç so:lt in dı su:p]
Çorbada çok tuz var mı?

Are there many people in the office?
[a: deı meni pi:pıl in di ofis]
Büroda çok kişi var mı?

CÜMLELER

Is there much milk here?	Burada çok süt var mı?
Is there much coffee here?	Burada çok kahve var mı?
Are there many people here?	Burada çok kişi var mı?
Are there many books here?	Burada çok kitap var mı?

There isn't much milk here.	Burada çok süt yok.
There isn't much coffee here.	Burada çok kahve yok.
There aren't many people here.	Burada çok insan yok.
There aren't many books here.	Burada çok kitap yok.

UYGULAMA

A. Aşağıdaki alıştırmada boş bırakılan yerlere **isn't much** veya **aren't many** ifadelerinden birini koyunuz.

1. **There .... schools in the city.**
2. **There .... bread in Mrs. Taylor's kitchen.**

3. There .... rivers in the west of France.
4. There .... money on the table.
5. There .... soup.
6. There .... secretaries in that factory.
7. There .... jam at home.

B. Boş bırakılan yerlere **much, many** veya **a lot of** getiriniz.

1. There aren't .... cities on this map.
2. She hasn't .... friends in this city.
3. He is drinking .... tea.
4. There isn't .... money here.
5. The policemen have got .... cars.
6. We are eating .... apples.
7. There aren't .... trees in our garden.

C. Aşağıdaki cümleleri İngilizceye çeviriniz.

1. Tom'un çok arkadaşı var.
2. Bu sınıfta çok öğrenci yok.
3. Bay Green'in çok parası yok.
4. Kutunun yanında çok şeker var.
5. Mutfakta az miktar kahve var.

Bu derste öğrendiğimiz sözcükler

sözcük	okunuşu	anlamı
money	[mani]	para
friend	[frend]	arkadaş
worker	[wö:kı]	işçi
factory	[fektıri]	fabrika
chalk	[ço:k]	tebeşir
soup	[su:p]	çorba
people	[pi:pıl]	insanlar, kişiler
office	[ofis]	büro, ofis
a few	[ı fyu:]	az, az sayıda
a little	[ı litıl]	az, az miktarda

GÜNLÜK KONUŞMALAR

DIALOGUE I

Tourist	: **Excuse me. Where's the train station?** [ikskyu:z mi weız **dı** treyn steyşın]	Affedersiniz. Tren istasyonu nerede?
Man	: **I'm sorry, I don't know.** [aym **s**ori ay dount nou]	Özür dilerim. Bilmiyorum.
Tourist	: **Excuse me. Where's the train station?** [ikskyu:z mi weız **dı** treyn steyşın]	Özür dilerim. Tren istasyonu nerede?
Woman	: **It's near here. On the right, between the park and the school.** [its niı hiı on **dı** rayt bitwi:n **dı** pa:k end **dı** sku:l]	Buraya yakın. Sağda, park ile okul arasında.
Tourist	: **Thank you very much.** [**t**enk yu veri maç]	Çok teşekkür ederim.
Woman	: **Not at all.** [**n**ot et **o**:l]	Bir şey değil.

DIALOGUE 2

Woman	: Excuse me. Where's the theatre? [ikskyu:z mi weız dı tiıtı]	Affedersiniz. Tiyatro nerede?
Man	: Walk straight ahead. It's on the left side. [wo:k streyt ıhed its on dı left sayd]	Dümdüz yürüyün. Sol tarafta.
Woman	: Thank you very much. [tenk yu veri maç]	Çok teşekkür ederim.
Man	: You're welcome. [yuı welkım]	Bir şey değil.

DIALOGUE 3

Tourist	: Excuse me. Where's the informa- tion office? [ikskyu:z mi weız di infımeyşın ofis]	Affedersiniz. Danışma bürosu nerede?

Policeman: Turn left and it's on the right side.
[tö:n left end its on dı rayt sayd]

Sola dönün. Sağ tarafta.

Tourist   : Is it far?
[iz it fa:]

Uzak mı?

Policeman: No, it's only five minutes' walk.
[nou its ounli fayv minits wo:k]

Hayır, yürüyerek sadece beş dakikalık yol.

Tourist   : Thank you.
[tenk yu:]

Teşekkür ederim.

Policeman: Not at all.
[not et o:l]

Birşey değil.

Az önceki günlük konuşmalarda basit olarak yol tariflerini gördük. Yol sormak için kullandığımız **"Where's ....?"** soru cümlesi üzerinde bir kez daha duralım.

Where's the bank?
Where's the post office?
Where's the park?

Banka nerede?
Postane nerede?
Park nerede?

Burada özellikle **'s** kısaltmasına dikkat ediniz.

Bu tür sorulara aşağıdaki biçimlerde cevap vermek mümkündür:

Walk straight ahead.
[wo:k streyt ıhed]

Dümdüz yürüyün.

Turn right.
[tö:n rayt]

Sağa dönün.

Turn left.
[tö:n left]

Sola dönün.

It's on the left side.
[its on dı left sayd]

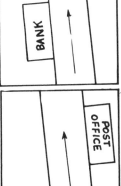

Sol taraftadır.

It's on the right side.
[its on dı rayt sayd]

Sağ taraftadır.

Affedersiniz anlamına gelen **Excuse me** [ikskyu:z mi] ile özür dilerim anlamını taşıyan **I'm sorry** [aym sori] sıkça karıştırılan iki kavramdır. Dikkat ediniz.

I'm sorry.

Özür dilerim, affedersiniz, kusura bakmayın. (Bu ifade yanlış bir hareket yapıldığında kullanılır.)

Excuse me.

Özür dilerim, affedersiniz. (Bir şey öğrenmek isterken, örneğin bir yere nasıl gidildiğini öğrenmek istediğimizde veya örneğin saat sorarken kullanılır.)

Bu derste öğrendiğimiz sözcükler

sözcük	okunuşu	anlamı
tourist	[tuırist]	turist
I'm sorry	[aym sori]	affedersiniz
straight ahead	[streyt ıhed]	dümdüz, ilerde
to turn	[tu tö:n]	dönmek
side	[sayd]	taraf
far	[fa:]	uzak

ders 16

GENİŞ ZAMAN

Geniş zaman tekrarlanan, yapılması bir âdet, bir alışkanlık haline gelmiş hareketleri anlatmak için kullanılır.

> Sabahları erken kalkarım.
> Akşamları erken yatarım.
> Kitap okur.
> Daima derslerime çalışırım.
> Doris hayvanları çok sever.
> Babam fabrikada çalışır.
> Onlar akşam yemeğini saat yedide yerler.

Örneklerdeki cümlelerde "kalkarım, yatarım, okur, çalışırım, sever, çalışır, yerler" fiilleri her zaman yapılan, yapılması bir âdet, bir alışkanlık haline gelmiş hareketleri göstermektedir.

GENİŞ ZAMAN CÜMLELERİNİN OLUMLU BİÇİMİ

İngilizcede geniş zamanın olumlu biçimini oluşturmak için öznenin yanına fiil kökünü yalın olarak getirmek yeterlidir. Sadece, özne tekil üçüncü şahıs olduğu, yani bir tek şahıs veya şeyi gösterdiği zaman (örneğin **he-she-it-Tom-Tom's father-My cat-Mr. Taylor** vb.) fiile (**-s**) eklenir. Özellikle bu kurala dikkat ediniz.

to eat	yemek
Eat	Ye.
I eat.	Yerim.
I eat eggs.	Yumurta yerim.
to drink	içmek
Drink.	İç.
I drink.	İçerim.
I drink milk.	Süt içerim.

to swim	yüzmek
Swim.	Yüz.
I swim.	Yüzerim.
to sleep	uyumak
Sleep.	Uyu.
I sleep.	Uyurum.
to read	okumak
Read.	Oku.
I read	Okurum.
to write	yazmak
Write.	Yaz.
I write.	Yazarım.
to play	oynamak
Play.	Oyna.
I play.	Oynarım.

Az önce de belirtildiği gibi 3.ncü tekil şahıstan sonra fiile (-s) takısı eklenir.

I eat.	Yerim.
He eats.	Yer.
She eats.	Yer.
It eats.	Yer.
I drink.	İçerim.
He drinks.	İçer.
She drinks.	İçer.
It drinks.	İçer.
I run.	Koşarım.
He runs.	Koşar.
She runs.	Koşar.
It runs.	Koşar.
I play.	Oynarım.
You play.	Oynarsın.
He plays.	Oynar.
She plays.	Oynar.
It plays.	Oynar.
We play.	Oynarız.
You play.	Oynarsınız.
They play.	Oynarlar.

I drink milk.	Süt içerim.
You drink milk.	Süt içersin.
He drinks milk.	Süt içer.
She drinks milk.	Süt içer.
It drinks milk.	Süt içer.
We drink milk.	Süt içeriz.
You drink milk.	Süt içersiniz.
They drink milk.	Süt içerler.
I eat fish.	Balık yerim.
You eat fish.	Balık yersin.
He eats fish.	Balık yer.
She eats fish.	Balık yer.
It eats fish.	Balık yer.
We eat fish.	Balık yeriz.
You eat fish.	Balık yersiniz.
They eat fish.	Balık yerler.

Yukarıda **to play** "oynamak", **to drink** "içmek", **to eat** "yemek" fiillerinin geniş zaman olarak çekiminde de görüldüğü gibi fiil sadece üçüncü tekil şahıslarda (örneklerde **he-she-it**) bir (**-s**) eki almış, diğer öznelerin yanında yalın (yani kök olarak) kalmıştır.

Şimdiki zamanda ise, bildiğiniz gibi özneden sonra **am, is, are** sözcüklerinden uygun olanı gelmekte, fiilin sonunda "yor" anlamına gelen **-ing** eki bulunmaktaydı. Geniş zamanın şimdiki zamanla farkını görmeniz için aşağıda aynı fiilin önce şimdiki zaman, sonra geniş zaman olarak kullanılışını gösteren örnekler veriyoruz.

I am going.	Gidiyorum.
I go.	Giderim.
You are eating.	Yiyorsun.
You eat.	Yersin.
He is opening.	Açıyor.
He opens.	Açar.
She is coming.	Geliyor.
She comes.	Gelir.
We are reading.	Okuyoruz.
We read.	Okuruz.
They are playing.	Oynuyorlar.
They play.	Oynarlar.

I am playing football.	Futbol oynuyorum.
I play football.	Futbol oynarım.
He is drinking tea.	Çay içiyor.
He drinks tea.	Çay içer.
She is running.	Koşuyor.
She runs.	Koşar.
They are going to the theatre.	Tiyatroya gidiyorlar.
They go to the theatre.	Tiyatroya giderler.

Geniş zamanın olumlu biçiminde "I-ben" ve "you-sen" hariç, özne tekil olduğu zaman (bir başka ifade ile tekil 3.ncü şahıslarda) fiilin sonuna (-s) eklendiğine tekrar dikkatinizi çekmek için aşağıdaki örnekleri dikkatle gözden geçiriniz.

I drink tea.	Çay içerim.
He drinks coffee.	Kahve içer.
We open the door.	Kapıyı açarız.
She opens the door.	Kapıyı açar.
You come here.	Buraya gelirsin.
It comes here.	Buraya gelir.
They sleep.	Uyurlar.
He sleeps.	Uyur.

Geniş zaman halinde bulunan bir cümlenin başında şahıs zamiri yerine başka bir sözcük veya sözcük gurubu bulunursa, bu takdirde bu sözcük veya sözcük gurubunun bir tek kişi veya şey gösterip göstermediğine bakılır. Bir kişi veya cisim gösteriyorsa bu cümlenin fiiline (aynı özne **he, she, it** olduğu zaman yapıldığı gibi) **-s** eklenir. Birden fazla şahıs veya cisim gösteriyorsa hiçbir ek yapılmaz.

I drink tea in the morning.	Sabahleyin çay içerim.
Frank drinks coffee in the morning.	Frank sabahleyin kahve içer.
My sister drinks milk.	Kızkardeşim süt içer.
My brothers drink tea.	Erkek kardeşlerim çay içer.
I eat bread and butter.	Ekmek ve tereyağı yerim.
My brother eats an egg.	Erkek kardeşim bir yumurta yer.
My sister eats jam.	Kızkardeşim reçel yer.

My father and my mother eat bread and butter.	Babam ve annem ekmek ve tereyağı yer.
He writes a letter.	Bir mektup yazar.
Bill writes a letter.	Bill bir mektup yazar.
Bill's father writes a letter.	Bill'in babası bir mektup yazar.
His sister's father writes a letter.	Kız kardeşinin babası bir mektup yazar.
The shop opens at 8 o'clock.	Dükkân saat 8'de açılır.
The shops open at 8 o'clock.	Dükkânlar saat 8'de açılır.
My son plays football.	Oğlum futbol oynar.
My daughter plays tennis.	Kızım tenis oynar.
Mr. Black's children play basketball.	Bay Black'in çocukları basketbol oynarlar.

Yukarıdaki örneklerde **Frank, my sister, my brother, Bill's father, His sister's father, the shop, my daughter** bir kişiyi bir tek şahsı gösterdikleri için fiilin sonuna (**-s**) eklenmiştir. Buna karşın **my brothers** "erkek kardeşlerim", **the shops** "dükkanlar", **Mr. Black's children** "Bay Black'in çocukları" birden fazla şahsı veya şeyi gösterdikleri için fiilin sonuna hiçbir ek getirilmemiştir.

The old man sits on this chair.	Yaşlı adam bu sandalyede oturur.
The old men come here.	Yaşlı adamlar buraya gelirler.
The baby sleeps here.	Bebek burada uyur.
The babies sleep here.	Bebekler burada uyurlar.
Mrs. West's child run in the garden.	Bayan West'in çocuğu bahçede koşar.
Mrs. West's children run in the garden.	Bayan West'in çocukları bahçede koşarlar.

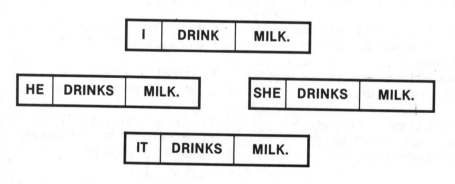

I	DRINK	MILK.

HE	DRINKS	MILK.

SHE	DRINKS	MILK.

IT	DRINKS	MILK.

I get up early.
[ay get ap ö:li]
Erken kalkarım.

I wash my face.
[ay woş may feys]
Yüzümü yıkarım.

I have breakfast.
[ay hev brekfıst]
Kahvaltı ederim.

I go to school.
[ay gou tu sku:l]
Okula giderim.

I have lunch at 12 o'clock.
[ay hev lanç et twelv ıklok]
Öğle yemeğini saat 12'de yerim.

I arrive home at 5 o'clock.
[ay ırayv houm et fayv ıklok]
Eve saat 5'de varırım.

I study.
[ay stadi]
Ders çalışırım.

I help my mother and father.
[ay help may madır end fa:dı]
Anneme ve babama yardım ederim.

145

I have dinner at 7 o'clock.
[ay hev dinır et sevın ıklok]
Akşam yemeğini saat 7'de yerim.

I watch television.
[ay woç telivijın]
Televizyon seyrederim.

I listen to the radio.
[ay lisın tu dı reydio]
Radyo dinlerim.

I go to bed at 11 o'clock.
[ay gou tu bed et ilevın ıklok]
Saat 11'de yatarım.

I like music.
[ay layk myu:zik]
Müzik severim.

I live in Ankara.
[ay liv in ankara]
Ankara'da otururum. (Yaşarım)

Geniş zaman olumlu cümle kalıbı

Özne	Fiil	Diğer sözcükler
I	like	music.
You	live	in İzmir.
He	plays	football.
She	eats	fish.
It	drinks	milk.
We	go	to the cinema.
You	get up	early.
They	listen	to the radio.

CÜMLELER

I get up at 7 o'clock. — Saat 7'de kalkarım.
My father gets up at half past six. — Annem altı buçukta kalkar.
My father gets up at a quarter to seven. — Babam yediye çeyrek kala kalkar.
We get up early. — Erken kalkarız.
I like cats. — Kedileri severim.
David likes dogs. — David köpekleri sever.
My father and my mother like horses. — Annem ve babam atları severler.
Our teacher likes his students. — Öğretmenimiz öğrencilerini sever.
Nurses like children. — Hemşireler çocukları severler.

We live in Istanbul. — Biz İstanbul'da otururuz. (Yaşarız)
My son lives in France. — Oğlum Fransa'da oturur.
Mr. Robinson's children live in Australia. — Bay Robinson'un çocukları Avustralya'da otururlar.
Robert is American. He lives in New York. — Robert Amerikalıdır. New York'ta oturur.
I am Turkish. I live in Ankara. — Türküm. Ankara'da otururum.
Mr. and Mrs. Atkins are from England. They live in London. — Bay ve Bayan Atkins İngiltere'dendirler. Londra'da otururlar.
The new secretary lives at Mamak. — Yeni sekreter Mamak'ta oturur.

I listen to the radio in the evening. — Akşamları radyo dinlerim.
My brother listens to music. — Erkek kardeşim müzik dinler.
My sister helps my mother. — Kız kardeşim anneme yardım eder.
My father reads books. — Babam kitap(lar) okur.

I arrive home at twenty past five. — Eve saat beşi yirmi geçe varırım.
My father arrives home at six o'clock. — Babam eve saat altıda varır.
My brother arrives home at a quarter to seven. — Erkek kardeşim eve saat yediye çeyrek kala varır.

The bank opens at nine o'clock. — Banka saat dokuzda açılır.
The post office opens at half past eight. — Postane saat sekiz buçukta açılır.
The shops open at seven o'clock. — Dükkânlar saat yedide açılır.

I like tomatoes and cheese.
Doris likes babies.
I like my mother and my father.
Cats like milk.
We buy bread from the baker's.

They buy oranges from the greengrocer's.
Mr. and Mrs. Taylor live in Canada.
We drink tea in the mornings.
We go to bed early.
My brother plays basketball.

UYGULAMA

A. Bu cümlelerdeki fiilleri geniş zaman haline sokunuz.

1. He is drinking coffee.
2. I am buying apples from the greengrocer's.
3. The doctor's daughter is walking to the door.
4. Tom is eating some bread and butter.
5. We are listening to the teacher.
6. They are coming here.
7. She is arriving home.

B. Bu cümlelerdeki fiilleri şimdiki zaman haline getiriniz.

1. He comes home early.
2. My father listens to music.
3. The postman drinks coffee.
4. We buy cheese from the grocer's.
5. You watch television.
6. She gets up at six o'clock.
7. I wash my hands and my face.

C. Aşağıdaki cümlelerdeki öznelerin yerine **he** kullanarak gerekli değişiklikleri yapınız.

Örnek: **I swim here. He swims here.**

1. They write a letter. He ....
2. We go to bed at ten o'clock. He..........
3. The students like the teacher. He..........
4. I drink tea. He ....
5. The doctors listen to the radio. He..........
6. The children play in the garden. He..........
7. I open the door. He..........

D. Aşağıdaki cümleleri İngilizce'ye çeviriniz.

1. Çocukları severim.
2. Sabahleyin erken kalkarlar.
3. Babam anneme yardım eder.
4. Bahçede oynarım.
5. Akşam yemeğini saat yedide yeriz.
6. Okula saat sekizde giderim.
7. Futbol ve basketbol oynarım.

Bu derste öğrendiğimiz sözcükler

sözcük	okunuşu	anlamı
to get up	[tu get ap]	kalkmak
to wash	[tu woş]	yıkamak
to have breakfast	[tu hev brekfıst]	kahvaltı etmek
to have lunch	[tu hev lanç]	öğle yemeği yemek
to arrive	[tu ıravy]	varmak
to study	[tu stadi]	ders çalışmak
tu help	[tu help]	yardım etmek
to have dinner	[tu hev dinı]	akşam yemeği yemek
to watch	[tu woç]	seyretmek
to listen	[tu lisın]	dinlemek
to go to bed	[tu gou tu bed]	yatmak
to like	[tu layk]	sevmek
to live	[tu liv]	yaşamak,oturmak
football	[futbo:l]	futbol
basketball	[ba:skitbo:l]	basketbol
tennis	[tenis]	tenis
breakfast	[brekfıst]	kahvaltı
lunch	[lanç]	öğle yemeği
dinner	[dinı]	akşam yemeği
music	[myu:zik]	müzik

ders 1

GENİŞ ZAMANDA FİİLE EKLENEN (-S) ve (-ES)

Bir önceki dersimizde geniş zamanın olumlu biçimini öğrenirken, 3.ncü tekil şahıslarda fiilin sonuna (-s) takısı getirildiğini görmüştük.

I like cats.	Kedileri severim.
He likes dogs.	Köpekleri sever.
My father likes horses.	Babam atları sever.

I drink tea.	Çay içerim.
She drinks coffee.	Kahve içer.
My cat drinks milk.	Kedim süt içer.

(-s) takısı aynen çoğul isimlere ilave edilen **s** gibi okunur. Aynı kurallara uyar. Yine isimlerde olduğu gibi fiilin son harfi nedeniyle bazı fiillere (-s) yerine **(-es)** eklenir. Aşağıda şimdiye kadar öğrendiğimiz fiillerden bu türde olanlarını göreceksiniz.

go	goes
do	does
wash	washes
study	studies

"ders çalışmak" anlamındaki **"study"** fiilinin özel durumuna dikkat ediniz. Görüldüğü gibi **y** harfi yerine **(-ies)** takısını getiriyoruz.

study ⟶ stud~~y~~ ⟶ studies

I	WASH

HE	WASHES

SHE	WASHES

IT	WASHES

CÜMLELER

I go to school at 8 o'clock.	Okula saat sekizde giderim.
He goes to school at half past eight.	Okula saat sekiz buçukta gider.
We go to bed at eleven o'clock.	Saat onbirde yatarız.
Peter goes to bed at 11.30.	Peter 11.30'da yatar.

I wash my hands and my feet.	Ellerimi ve ayaklarımı yıkarım.
She washes her face.	Yüzünü yıkar.
The woman washes the baby.	Kadın bebeği yıkar.
He washes his car in the morning.	Arabasını sabahleyin yıkar.

I watch television.	Televizyon seyrederim.
My father watches television.	Babam televizyon seyreder.
His sister's teacher watches television.	Kız kardeşinin öğretmeni televizyon seyreder.
The old woman watches television in the evening.	Yaşlı kadın akşamleyin televizyon seyreder.

I have breakfast at 7 o'clock.	Saat yedide kahvaltı ederim.
He has breakfast at a quarter past seven.	Saat yediyi çeyrek geçe kahvaltı eder.
Alice has lunch at twelve o'clock.	Alice saat onikide öğle yemeği yer.

James has lunch at home.	James öğle yemeğini evde yer.
Mr. Jones has lunch in a restaurant.	Mr. Jones öğle yemeğini lokantada yer.

Pamela's father has dinner at nine o'clock.	Pamela'nın babası akşam yemeğini saat dokuzda yer.

I study English.	İngilizce çalışırım.
I study my lessons.	Derslerime çalışırım.
He studies English.	İngilizce çalışır.
Marry studies her lessons.	Mary derslerine çalışır.
Tom's brother studies French.	Tom'un erkek kardeşi Fransızca çalışır.

Brigitte washes her hands and feet in the evening.
The farmer goes to bed at eight o'clock.
My sister studies her lessons in the evening.
The businessman has his lunch in a restaurant.
Barbara watches television in the evening.
My father washes his car.

UYGULAMA

Bu cümlelerdeki öznelerin yerine **she** kullanarak cümlelerdeki gerekli değişiklikleri yapınız.

Örnek: **I study French. She studies French.**

1. **We go to school at twenty past eight. She..........**
2. **They watch the children in the park. She..........**
3. **I have my lunch at home. She..........**
4. **They go to bed very early. She..........**
5. **You wash your face. She..........**
6. **We study our lessons. She..........**
7. **I have breakfast at eight o'clock. She..........**

GENİŞ ZAMAN CÜMLELERİNİN SORU BİÇİMİ

Şimdiki zaman halinde bulunan cümlelerin soru biçimini elde etmek için bu cümlelerin içindeki **am, is, are** ın cümle başına alındığını öğrenmiştik.

He is going to the park.	Parka gidiyor.
Is he going to the park?	Parka mı gidiyor?
The boy is running.	Çocuk koşuyor.
Is the boy running?	Çocuk koşuyor mu?
Mrs. West is sleeping.	Bayan West uyuyor.
Is Mrs. West sleeping?	Bayan West uyuyor mu?
They are playing in the garden.	Onlar bahçede oynuyorlar.
Are they playing in the garden?	Onlar bahçede mi oynuyorlar?
We are helping our mother.	Annemize yardım ediyoruz.
Are we helping our mother?	Annemize yardım mı ediyoruz?
I am watching television.	Televizyon seyrediyorum.
Am I watching television?	Televizyon mu seyrediyorum?

İngilizce'de geniş zaman halinde bulunan bir cümleyi 3.ncü tekil şahıslar hariç soru biçimine sokmak için cümlenin başına **do** [du:] getirilir. Bu sözcüğü yapmak anlamına gelen **do** fiili ile karıştırmayınız. **Do** sözcüğü, burada, geniş zaman cümlesini soru haline getirmek için kullanılan bir öğe durumundadır.

I eat.	Yerim.
Do I eat?	Yer miyim?
I drink.	İçerim.
Do I drink?	İçer miyim?
You swim.	Yüzersin.
Do you swim?	Yüzer misin?
You like.	Seversin.
Do you like?	Sever misin?
You play.	Oynarsın.
Do you play?	Oynar mısın?
We go.	Gideriz.
Do we go?	Gider miyiz?
We watch.	Seyrederiz.
Do we watch?	Seyreder miyiz?
They run.	Onlar koşarlar.
Do they run?	Onlar koşarlar mı?

Geniş zamanın olumlu biçiminde özne tekil durumda olduğu zaman, (yani 3.ncü tekil şahıslarda) fiile (-s veya -es) takısı eklendiğini biliyoruz. Böyle bir cümle, diğer bir ifade ile öznesi tekil olan bir cümle soru biçimine getirilecek olursa, fiildeki (-s veya -es) kalkar, **do** sözcüğü de **does** [daz] biçimine girer.

He eats.	(O) Yer.
Does he eat?	(O) Yer mi?
She drinks.	(O) İçer.
Does she drink?	(O) İçer mi?
Barbara likes.	Barbara sever.
Does Barbara like?	Barbara sever mi?
The man comes.	Adam gelir.
Does the man come?	Adam gelir mi?

Geniş zamanın soru biçimini oluştururken 3.ncü tekil şahıslarda cümle başına **Does** sözcüğünü getirdiğiniz zaman, fiilin sonundaki (**-s** veya **-es**) ekini kaldırmaya özellikle dikkat ediniz.

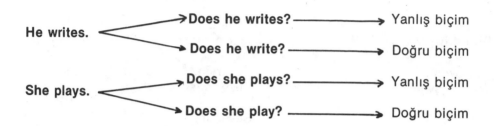

DO	YOU	LIKE	CATS ?

Do you like music?   Müzik sever misiniz?
Do you live here?   Burada mı oturursunuz?
                          (Yaşarsınız)
Do you get up early?   Erken mi kalkarsınız?
Do you help your mother? Annenize yardım eder misiniz?
Do you watch television? Televizyon seyreder misiniz?
Do you go to bed early?   Erken mi yatarsınız?

Does he come here?   Buraya mı gelir?
Does she help you?   Size yardım eder mi?
Does he like children?   Çocukları sever mi?
Does he listen to the radio? Radyo dinler mi?
Does she eat fish?   Balık yer mi?
Does Doris go to school? Doris okula gider mi?

Do we get up at seven o'clock? Saat yedide mi kalkarız?
Do we drink milk in the morning? Sabahları süt mü içeriz?
Do they study their lessons? Onlar derslerine çalışırlar mı?
Do they like cats?   Onlar kedileri sever mi?
Do they play football?   Onlar futbol oynarlar mı?

DO	YOU	LIKE	CATS ?

DOES	HE	LIKE	DOGS ?

Does she work in an office?
[daz şi: wö:k in ın ofis]
Büroda mı çalışır?

Does he work in a factory?
[daz hi: wö:k in ı fektıri]
Fabrikada mı çalışır?

Does she speak English?
[daz şi: spi:k ingliş]
İngilizce konuşur mu?

Do you enjoy music?
[du yu incoy myu:zik]
Müzikten hoşlanır mısın?

Does your father work here?	Baban burada mı çalışır?
Do they work in a restaurant?	Lokantada mı çalışırlar?
Does Mr. Green work in a factory'	Bay Green fabrikada mı çalışır?
Do you speak English?	İngilizce konuşur musun?
Does Tom speak Turkish?	Tom Türkçe konuşur mu?
Does Jane enjoy football?	Jane futboldan hoşlanır mı?
Does Robert live here?	Robert burada mı oturur?
Does Mr. Taylor live near the station?	Mr. Taylor istasyonun yanında mı oturur?
Do they live near here?	Buraya yakın mı otururlar?
Do the shops open at eight o'clock?	Dükkânlar saat sekizde mi açılır?
Does the bank open at nine o'clock?	Banka saat dokuzda mı açılır?
Does Pamela get up early or late?	Pamela geç mi erken mi kalkar?
Do you watch television?	Televizyon seyreder misin?
Does your mother like television?	Annen televizyon sever mi?
Do you go to school at eight o'clock?	Okula saat sekizde mi gidersin?
Do you play football?	Futbol oynar mısın?

Do you like fish or meat?
Does your father like cats?
Does your brother play basketball?
Do they come here in the evening?
Do you go to bed early or late?

Soru halinde geniş zaman cümle kalıbı

Do veya does	özne	fiil	diğer sözcükler
Do	you	like	cats?
Does	he	live	in London?
Does	she	watch	television?
Does	the cat	eat	bread?
Do	we	get up	early?
Do	you	play	football?
Do	they	help	their mother?

UYGULAMA

A. Bu cümleleri soru haline sokunuz.

1. We listen to the radio.
2. He cleans his càr in the morning.
3. The girl gets up at seven o'clock.
4. These students study English.
5. Betty likes her teachers.
6. Alex lives in Australia.
7. His father goes to bed et eleven o'clock.

B. Aşağıdaki cümleleri olumlu hale sokunuz.

1. Does Tom drink coffee?
2. Do they write letters?
3. Does the fat man eat fish?
4. Do we listen to the radio?
5. Does the woman clean the windows?
6. Do the postmen come here?
7. Does Frank have breakfast?

Bu derste öğrendiğimiz sözcükler

sözcük	okunuşu	anlamı
to work	[tu wö:k]	çalışmak
to speak	[tu spi:k]	konuşmak
to enjoy	[tu incoy]	hoşlanmak

ders

GENİŞ ZAMAN CÜMLELERİNİN OLUMSUZ BİÇİMİ

Geniş zamanın olumsuz biçimini elde etmek için fiilin önünde **do not** (kısaltılmışı **don't**) veya **does not** (kısaltılmışı **doesn't**) getirilir. 3.ncü tekil şahıslarda **doesn't** kullanılır ve bu durumda fiilin ardındaki (-s, -es) eki kaldırılır. Diğer tüm şahıslarda **don't** kullanılır.

I go.	Giderim.
I don't go.	Gitmem.

I like.	Severim.
I don't like.	Sevmem.

I don't watch.	Seyretmem.
I don't play.	Oynamam.
I don't drink.	İçmem.
I don't come.	Gelmem.

You don't like.	Sevmezsin.
We don't like.	Sevmeyiz.
They don't like.	Sevmezler.

Mr. and Mrs. Black don't like.	Bay ve Bayan Black sevmezler.
The children don't like.	Çocuklar sevmezler.

Öznesi tekil olan olumlu bir cümle olumsuz hale getirilirken fiildeki **(s)** veya **(es)** kalkar ve **do not** yerine **does not** (kısaltılmışı **doesn't**) kullanılır.

I like cats.	Kedileri severim.
I don't like dogs.	Köpekleri sevmem.

He likes dogs.	Köpekleri sever.
He doesn't like cats.	Kedileri sevmez.

She works in an office.	Büroda çalışır.
She doesn't work in a factory.	Fabrikada çalışmaz.

Tom's cat eats fish and meat.	Tom'un kedisi et ve balık yer.
It doesn't eat bread.	Ekmek yemez.

The girl gets up early.	Kız erken kalkar.
She doesn't get up late.	Geç kalkmaz.

Barbara goes to bed at ten o'clock.	Barbara saat onda yatar.
She doesn't go to bed at nine o'clock.	Dokuzda yatmaz.

Geniş zamanın olumsuz biçiminde 3.ncü tekil şahıslarda **doesn't** sözcüğünü kullanırken fiilin sonunda kesinlikle (-s) veya (-es) bulundurmayınız.

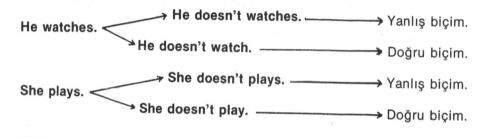

We have lunch at school.	Öğle yemeğini okulda yeriz.
We don't have lunch in a restaurant.	Öğle yemeğini lokantada yemeyiz.
Susan has lunch in a restaurant.	Susan öğle yemeğini lokantada yer.
She doesn't have lunch at home.	Öğle yemeğini evde yemez.

Tom speaks English.	Tom İngilizce konuşur.
He doesn't speak French.	Fransızca konuşmaz.

I live in İstanbul.	Ben İstanbul'da otururum.
I don't live in Ankara.	Ankara'da oturmam.

I	DON'T	GET UP	LATE.

HE	DOESN'T	WORK	HERE.

WE	DON'T	SPEAK	FRENCH.

I don't like dirty children.	Kirli (pis) çocukları sevmem.
I don't get up late.	Geç kalkmam.
I don't watch football.	Futbol seyretmem.
I don't live near here.	Buraya yakın oturmam.
I don't speak French.	Fransızca konuşmam.
I don't enjoy tennis.	Tenisten hoşlanmam.
You don't like your teacher.	Öğretmenini sevmezsin.
You don't eat fish.	Balık yemezsin.
You don't drink milk.	Süt içmezsin.
You don't listen to your teacher.	Öğretmenini dinlemezsin.
You don't read this book.	Bu kitabı okumazsın.
He doesn't help his father.	Babasına yardım etmez.
He doesn't come here.	Buraya gelmez.
She doesn't speak Italian.	İtalyanca konuşmaz.
Alice doesn't work in an office.	Alice büroda çalışmaz.
Sally doesn't arrive at ten o'clock.	Sally saat onda varmaz.
James doesn't play football.	James futbol oynamaz.
Susan doesn't go to bed late.	Susan geç yatmaz.
We don't like this music.	Bu müziği sevmeyiz.
We don't enjoy football.	Futboldan hoşlanmayız.
They don't write letters.	Mektup yazmazlar.
They don't watch television	Televizyon seyretmezler.
The children don't swim here.	Çocuklar burada yüzmezler.

UYGULAMA

A. Bu cümleleri olumsuz yapınız.

1. We like children.
2. The student speaks French.
3. The students speak English.
4. He comes to our house in the morning.
5. Mrs. Madelin buys meat.
6. They go to bed early.
7. She enjoys music.

B. Bu cümleleri olumlu hale getiriniz.

1. He doesn't listen to the radio.
2. I don't like English.
3. The girl doesn't help her mother.

4. It doesn't eat bread.
5. They don't enjoy tennis.
6. We don't write letters.
7. They don't go to the cinema.

GENİŞ ZAMAN SORU CÜMLELERİNE VERİLECEK KISA VE UZUN CEVAPLAR

Geniş zaman soru cümlelerine verilecek cevaplar iki biçimde olabilir. Biri görmüş olduğumuz normal "olumlu veya olumsuz geniş zaman" cümleleridir.

Do you like cats?
Kedileri sever misin?

Yes, I like cats.
Evet, kedileri severim.

Do you like dogs?
Köpekleri sever misin?

No, I don't like dogs.
Hayır, köpekleri sevmem.

Does he speak English?
İngilizce konuşur mu?

Yes, he speaks English.
Evet, İngilizce konuşur.

Does he speak French?
Fransızca konuşur mu?

No, he doesn't speak French.
Hayır, Fransızca konuşmaz.

Do they live near here?
Buraya yakın mı otururlar?

Yes, they live near here.
Evet, buraya yakın otururlar.

Do they work in a factory?
Fabrikada mı çalışırlar?

No, they don't work in a factory.
Hayır, fabrikada çalışmazlar.

Diğer cümle şekli ise daha önceki derslerimizden öğrendiğimiz türde bir kısa cevaptır. Burada **yes** sözcüğünden sonra zamir şeklinde özne ve arkasından **do, does, don't** veya **doesn't** getirilir. Sorudaki diğer sözcükler tekrarlanmaz. Bu kısa cevap uzun cevabın yerini tutar.

Do you like football?
Futbol sever misin?

Yes, I do.
Evet, severim.

Do you speak English?
İngilizce konuşur musun?

Yes, I do.
Evet, konuşurum.

Does she work in London?
Londra'da mı çalışır?

Yes, she does.
Evet, çalışır.

Does she like horses?
Atları sever mi?

No, she doesn't.
Hayır, sevmez.

Do they get up late?
Geç mi kalkarlar?

Yes, they do.
Evet, geç kalkarlar.

Do the banks open at eight o'clock?
Bankalar saat sekizde mi açılır?

No, they don't.
Hayır, açılmaz.

Do the banks open at nine o'clock?
Bankalar saat dokuzda mı açılır?

Yes, they do.
Evet, açılır.

Do we get up early?
Erken mi kalkarız?

Yes, we do.
Evet, kalkarız.

Does David play football?
David futbol oynar mı?

No, he doesn't.
Hayır, oynamaz.

Do you smoke?
Sigara içer misiniz?

No, I don't.
Hayır, içmem.

Do you drive?
Araba kullanır mısın?

No, I don't.
Hayır, kullanmam.

Does she like animals?
Hayvanları sever mi?

Yes, she does
Evet, sever.

Does he like American films?
Amerikan filmlerini sever mi?

THE END

A WARNER COMMUNICATIONS

Yes, he does.
Evet, sever.

Do you get up late?	No, I don't.
Do you live near the bank?	Yes, I do.
Do you watch football?	No, I don't.
Do you like football?	No, I don't.
Do you play football?	No, I don't.
Do you study English?	Yes, I do.
Do you go to school?	Yes, I do.
Do you listen to the radio?	No, I don't.
Do you listen to American music?	Yes, I do.
Do you listen to Turkish music?	Yes, I do.
Do you like Turkish music?	Yes, I do.
Do you speak English?	Yes, I do.
Do you read English newspapers?	No, I don't.
Do you read Turkish newspapers?	Yes, I do.
Do you live in the north of Turkey?	No, I don't.
Do you enjoy English films?	Yes, I do.
Do you help your father and mother?	Yes, I do.
Do you like animals?	Yes, I do.
Do you like flowers?	Yes, I do.
Do you eat lemon?	No, I don't.
Do you like oranges?	Yes, I do.
Does he live between the park and the bank?	Yes, he does.
Does she go to bed late?	No, she doesn't.
Does she speak Turkish?	Yes, she does.
Does Jane like Turkey?	Yes, she does.
Does Tom like this city?	No, he doesn't.
Does Mr. Taylor work in a factory?	Yes, he does.
Does Mrs. Taylor eat bananas?	No, she doesn't.
Do we get up early?	Yes, we do.
Do we live in London?	No, we don't.
Do they work in an office?	Yes, they do.
Do they work in a factory?	No, they don't.
Do the postmen work in a restaurant?	No, they don't.
Do Mr. and Mrs. Jones like animals?	Yes, they do.
Do they watch television?	No, they don't.

UYGULAMA

Aşağıdaki sorulara parantez içinde verilmiş olan sözcüğe göre kısa cevap veriniz.

Örnek: **Do you like children? (Yes) Yes, I do.**

1. **Does Tom play basketball? (No)**..........
2. **Do Mr. and Mrs. Atkins get up early? (No)**..........
3. **Does Mary read American newspapers? (No)**..........
4. **Do you smoke? (No)**..........
5. **Do they live near the post office? (Yes)**..........
6. **Does the girl drink tea? (Yes)**..........
7. **Does your son enjoy Turkish music? (Yes)**..........

Bu derste öğrendiğimiz sözcükler

sözcük	okunuşu	anlamı
to smoke	[tu smouk]	sigara içmek
to drive	[tu drayv]	araba kullanmak, sürmek
animal	[enimıl]	hayvan
film	[film]	film

ders 19

HAFTANIN GÜNLERİ
DAYS OF THE WEEK
[deyz ov dı wi:k]

Pazartesi Monday	Salı Tuesday	Çarşamba Wednesday	Perşembe Thursday	Cuma Friday	Cumartesi Saturday	Pazar Sunday
						1
2	3	4	5	6	7	8
9	10	11	12	13	14	15
16	17	18	19	20	21	22
23	24	25	26	27	28	

Sunday [sandi]   pazar
Monday [mandi]   pazartesi
Tuesday [tyu:zdi]   salı   week [wi:k] hafta
Wednesday [wenzdi]   çarşamba
Thursday [tö:zdi]   perşembe   day [dey] gün
Friday [fraydi]   cuma
Saturday [setıdi]   cumartesi

İngilizce'de günler daima büyük harfle başlar.

What is today?   Bugün nedir?
Today is Friday.   Bugün cumadır.
It is Friday.   Cumadır.

What is today?   Bugün nedir?
It is Tuesday.   Salıdır.
It is Thursday.   Perşembedir.

It isn't Wednesday. It is Thursday.   Çarşamba değildir. Perşembedir.
It isn't Saturday. It is Sunday.   Cumartesi değildir. Pazardır.

164

Is today Tuesday or Thursday?	Bugün salı mı perşembe mi?
Is today Tuesday or Thursday? It is Tuesday.	Bugün salı mı perşembe mi? Salı.
Is today Friday? Yes it is.	Bugün cuma mı? Evet.
Is today Monday? No it isn't. It is Tuesday.	Bugün pazartesi mi? Hayır salı.

GÜNLER VE (ON)

Türkçe'deki "saat sekizde, saat dokuz buçukta, saat yediyi on geçe" gibi ifadeleri İngilizce'de **at** edatı kullanmak suretiyle oluşturduğumuzu öğrenmiştik. Saatlerin başında **at** edatının kullanılması gerektiğini ve bu edatın "de, da" anlamına geldiğini burada bir kez daha hatırlayalım.

eight o'clock	saat sekiz
at eight o'clock	saat sekizde
át half past eight	saat sekiz buçukta
at nine o'clock	saat dokuzda
at half past ten	saat on buçukta

İngilizce'de "pazartesi günü, salı günü, perşembe günü" gibi ifadeleri oluşturmak için **on** edatından yararlanılır.

Monday	pazartesi
on Monday	pazartesi günü (pazartesi gününde)
Come on Monday.	pazartesi günü gel.
They come on Monday.	pazartesi günü gelirler.
Saturday	cumartesi
on Saturday	cumartesi günü (cumartesi gününde)
The children play football on Saturday.	Çocuklar cumartesi günü futbol oynarlar.
Sunday	pazar
on Sunday	pazar günü
Kadirhan watches television on Sunday.	Kadirhan pazar günü televizyon seyreder.
My mother cleans the house on Sunday.	Annem pazar günü evi temizler.
My father gets up very late on Sunday.	Babam pazar günü çok geç kalkar.

I don't study on Friday evening.	Cuma akşamı ders çalışmam.
Do you get up early on Saturday?	Cumartesi günü erken mi kalkarsın?
Do you work on Saturdays?	Cumartesi günleri çalışır mısınız?

Günlerden önce gelen on edatı ve saatlerden önce bulunan at edatının birlikte aynı cümlelerde nasıl kullanıldığını görelim.

on Saturday	cumartesi günü
at nine o'clock	saat dokuzda
at nine o'clock on Saturday	cumartesi günü saat dokuzda

on Monday	pazartesi günü
at ten o'clock on Monday	pazartesi günü saat onda
Go to Mr. Green's office at ten o'clock on Monday	Pazartesi günü saat onda Bay Green'in bürosuna git.

at half past two	saat iki buçukta
on Tuesday	salı günü
Help the children at half past two on Tuesday.	Salı günü saat iki buçukta çocuklara yardım et.

| ON | TUESDAY |

| COME HERE | AT TWO O'CLOCK | ON TUESDAY. |

Telephone the doctor on Monday.
[telifoun **dı** doktır **on** mandi]
Doktora pazartesi günü telefon et.

Post this letter on Wednesday.
[poust **dis** letır **on** wenzdi]
Bu mektubu çarşamba günü postala.

Mrs. West cleans the windows on Mondays.	Bayan West pencereleri pazartesi günleri temizler.
I don't go to school on Sundays.	Pazar günleri okula gitmem.
I play tennis on Tuesdays and Wednesdays.	Salı ve çarşamba günleri tenis oynarım.
We go to the theatre on Fridays.	Cuma günleri tiyatroya gideriz.

Susan reads books on Sundays.
Her father reads newspapers.
Susan's mother cleans the kitchen.
They don't go to the cinema on Sundays.
We don't work on Saturdays and Sundays.

MEVSİMLER VE AYLAR

İngilizce'de mevsim isimleri küçük harfle ay isimleri ise büyük harfle ba lar. Gün isimlerinin de yine büyük harfle başladığını burada bir kez daha tırlayalım. Mevsim sözcüğünün İngilizce karşılığı **season** [si:zın] dır.

SEASONS [si:zıns] MEVSİMLER

spring
[spring]
ilkbahar

summer
[samı]
yaz

autumn
[o:tım]
sonbahar

winter
[wintı]
kış

MONTHS [mants] AYLAR

sözcük	okunuşu	anlamı
January	[cenyuıri]	ocak
February	[februıri]	şubat
March	[ma:ç]	mart
April	[eypril]	nisan
May	[mey]	mayıs
June	[cu:n]	haziran
July	[culay]	temmuz
August	[ogıst]	ağustos
September	[septembı]	eylül
October	[oktoubı]	ekim
November	[nouvembı]	kasım
December	[disembı]	aralık

Aylar ve mevsimler **in** edatı ile birlikte kullanılırlar.

January	ocak
in January	ocakta, ocak ayında

August	ağustos
in August	ağustosta
in March	martta
in September	eylülde
in April	nisanda

Mevsimleri gösteren sözcüklerin önünde **"in"** edatı ile beraber çoğu zaman **"the"** belirtici sözcüğü de bulunur.

in the spring	ilkbaharda
in the summer	yazın
in the autumn	sonbaharda
in the winter	kışın

We go to Antalya in the summer.	Yazın Antalya'ya gideriz.
They go to Uludağ in the winter.	Kışın Uludağ'a giderler.
Mr. West comes to Turkey in September.	Bay West Eylül ayında Türkiye'ye gelir.
We swim in the summer.	Yazın yüzeriz.
We don't swim in the winter.	Kışın yüzmeyiz.

Saatler, günler, aylar ve mevsimler ile edatların kullanılışlarını özetlersek:

Saatlerin önünde	AT	at two o'clock at a quarter past four at 6.45 at half past seven
Günlerin önünde	ON	on Monday on Wednesday on Friday on Sunday
Ayların önünde	IN	in January in April in December in July
Mevsimlerin önünde	IN	in the summer in the winter in the spring in the autumn

Bu derste öğrendiğimiz sözcükler

sözcük	okunuşu	anlamı
day	[dey]	gün
week	[wi:k]	hafta
month	[mant]	ay
season	[si:zın]	mevsim
spring	[spring]	ilkbahar
summer	[samı]	yaz
autumn	[o:tım]	sonbahar
winter	[wintı]	kış
to telephone	[tu telifoun]	telefon etmek
to post	[tu poust]	postaya atmak (postalamak)

ders

SIRA SAYILARI · FIRST, SECOND, THIRD ....

Türkçe'deki "birinci, ikinci, üçüncü, beşinci, onuncu, onikinci vb." gibi sıra sayıları İngilizce'de sayı gösteren sözcüğe **th** eklenerek yapılır. Ancak "birinci, ikinci, üçüncü ve beşinci" sözcükleri bu kurala uymaz. Bu sözcükleri ayrıca ezberlemek gerekir.

		kısa yazılışı
first [fö:st]	birinci	1 st
secont [sekınd]	ikinci	2 nd
third [tö:d]	üçüncü	3 rd
fourth [fo:t]	dördüncü	4 th
fifth [fift]	beşinci	5 th
sixth [sikst]	altıncı	6 th
seventh [sevınt]	yedinci	7 th
eighth [eytt]	sekizinci	8 th
ninth [naynt]	dokuzuncu	9 th
tenth [tent]	onuncu	10 th
eleventh [ilevınt]	on birinci	11 th
twelfth [twelft]	on ikinci	12 th
thirteenth [tö:tint]	on üçüncü	13 th
fourteenth [fo:ti:nt]	on dördüncü	14 th
fifteenth [fifti:nt]	on beşinci	15 th
sixteenth [siksti:nt]	on altıncı	16 th
seventeenth [sevınti:nt]	on yedinci	17 th
eighteenth [eyti:nt]	on sekizinci	18 th
nineteenth [naynti:nt]	on dokuzuncu	19 th
twentieth [twentiıt]	yirminci	20 th
twenty-first [twenti fö:st]	yirmi birinci	21 st
twenty-second [twenti sekınd]	yirmi ikinci	22 nd
twenty-third [twenti tö:d]	yirmi üçüncü	23 rd
twenty-fourth [twenti fo:t]	yirmi dördüncü	24 th
twenty-fifth [twenti fift]	yirmi beşinci	25 th
twenty-sixth [twenti sixt]	yirmi altıncı	26 th
twenty-seventh [twenti sevınt]	yirmi yedinci	27 th
twenty-eighth [twenti eytt]	yirmi sekizinci	28 th
twenty-ninth [twenti naynt]	yirmi dokuzuncu	29 th
thirtieth [tö:tiıt]	otuzuncu	30 th
thirty-first [tö:ti fö:st]	otuz birinci	31 st

Görüldüğü gibi ilk üç sayı hariç, diğer tüm sıra sayıları rakam gösteren söz-cüğe **th** ilave etmekle yapılmaktadır. Ayrıca dikkat ettiğiniz gibi beşinci, do-kuzuncu, on ikinci, yirminci sözcüklerinde de ufak bir yazım değişikliği olmakta ve bu sözcükler **fifth, ninth, twelfth, twentieth** biçiminde yazıl-maktadır.

İngilizce'de sıra sayılarının kullanımında bu sözcüklerin önüne daima **the** getirilir.

the first month	birinci ay
the first month of the year	yılın birinci ayı
January is the first month of the year.	Ocak yılın birinci ayıdır.
the second month of the year	yılın ikinci ayı
February is the second month of the year.	Şubat yılın ikinci ayıdır.
April is the fourth month of the year.	Nisan yılın dördüncü ayıdır.
June is the sixth month of the year.	Haziran yılın altıncı ayıdır.
September is the ninth month of the year.	Eylül yılın dokuzuncu ayıdır.
What is the third month of the year?	Yılın üçüncü ayı nedir?
March is the third month of the year.	Yılın üçüncü ayı marttır.
What is the eleventh month of the year?	Yılın on birinci ayı nedir?
November is the eleventh month of the year.	Yılın on birinci ayı kasımdır.

İngilizce'de tarih belirtilirken sıra sayılarından yararlanılır.

the first of February	şubatın biri (bir şubat)
the second of February	şubatın ikisi (iki şubat)
the fifth of March	martın beşi (beş mart)
the twelfth of April	nisanın on ikisi (on iki nisan)
the twenty-seventh of December	aralığın yirmi yedisi (yirmi yedi aralık)
Today is the eighth of September.	Bugün eylülün sekizi. (bugün sekiz eylül)

TODAY	IS	THE FIRST	OF APRIL.

What date is it today?
[wot deyt iz it tıdey]
Bugünün tarihi ne?

It's the first of April.
[its dı fö:st ov eyprıl]
Nisan'ın biri. (Bir Nisan)

When is your birthday?
[wen iz yo: bö:tdey]
Doğum gününüz ne
zaman?

**It's on the twenty-first
of January.**
[its on dı twenti fö:st
ov cenyuırı]
Ocak yirmi birde.
(yirmi bir ocakta.)

**When is your teacher's
birthday?**
[wen iz yo: ti:çız bö:tdey]
Öğretmeninizin doğum
günü ne zaman?

**It's on the twenty-
seventh of December.**
[its on dı twentisevınt
ov disembı]
Yirmi yedi aralıkta.

Dikkat ettiğiniz gibi bu tür soruları sorarken cümleye önce "Ne zaman" an-
lamına gelen **When** [wen] soru sözcüğü ile başlıyoruz.

When is your birthday?
When is your father's birthday?
When is your mother's birthday?
When is Robert's birthday?
**When is Mary's brother's
birthday?**
**My birthday is on the third of
May.**
**My father's birthday is on the
twenty-eighth of February.**
**Mary's birthday is on the second
of August.**

Doğum gününüz ne zaman?
Babanızın doğum günü ne zaman?
Annenizin doğum günü ne zaman?
Robert'in doğum günü ne zaman?
Mary'nin erkek kardeşinin doğum
günü ne zaman?
Benim doğum günüm üç mayısta.

Babamın doğum günü şubatın
yirmi sekizinde.
Mary'nin doğum günü ağustosun
ikisinde.

Doğum günleri belirtilirken **on the** sözcüklerinin ardından gerekli sıra sayısını ve ardından uygun ayı kullanıyoruz.

WHEN	IS	YOUR		BIRTHDAY ?
WHEN	IS	YOUR FATHER'S		BIRTHDAY ?
MY BIRTHDAY	IS	ON	THE FIRST	OF MAY.
IT	IS	ON	THE SEVENTH	OF JULY.

Sıra sayılarının kullanıldığı yerlerden diğer örnekler:

Atatürk is the first president of the Turkish Republic.
[atatürk is dı fö:st prezidınt ov dı tö:kiş ripablik]
Atatürk Türk Cumhuriyetinin birinci cumhurbaşkanıdır.

İsmet İnönü is the second president.
Celal Bayar is the third president.

Who is the fourth president of Turkey?
Cemal Gürsel is the fourth president of Turkey.
Who is the fifth president of Turkey?
Fahri Korutürk is the sixth president.
Kenan Evren is the seventh president.

İsmet İnönü ikinci cumhurbaşkanıdır.
Celal Bayar üçüncü cumhurbaşkanıdır.
Türkiye'nin dördüncü cumhurbaşkanı kimdir?
Türkiye'nin dördüncü cumhurbaşkanı Cemal Gürsel'dir.
Türkiye'nin beşinci cumhurbaşkanı kimdir?
Fahri Korutürk altıncı cumhurbaşkanıdır.
Kenan Evren yedinci cumhurbaşkanıdır.

Murad the second is Mehmed the second's father.
Selim the second is Kanuni Sultan Süleyman's son.

İkinci Murad İkinci Mehmed'in babasıdır.
İkinci Selim Kanuni Sultan Süleyman'ın oğludur.

173

UYGULAMA

Aşağıdaki sayıları "İkinci, dördüncü, onuncu" cinsinden bir sıra sayısı haline getiriniz.

1. **Thirty-seven**
2. **Sixty-one**
3. **Twelve**
4. **Twenty**
5. **Eighty-two**
6. **Three**
7. **Forty-four**

Bu derste öğrendiğimiz sözcükler

sözcük	okunuşu	anlamı
today	[tıdey]	bugün
date	[deyt]	tarih
when	[wen]	ne zaman
birthday	[bö:tdey]	doğum günü
president	[prezidınt]	cumhurbaşkanı
republic	[ripablik]	cumhuriyet

GÜNLÜK KONUŞMALAR

DIALOGUE 1

Tom:	**Do you want coffee or tea?** [du yu wont kofi o: ti:]	Kahve mi yoksa çay mı istersin?
Betty:	**Coffee, please.** [kofi pli:z]	Kahve, lütfen.
Tom:	**Cake?** [keyk]	Pasta?
Betty:	**No, thank you.** [nou tenk yu]	Hayır, teşekkür ederim.
Tom:	**(to the waiter)** **A cup of coffee and a glass of orange juice, please.** [ı kap ov kofi end ı gla:s ov orinc cu:s pli:z]	(garsona) Bir fincan kahve ve bir bardak portakal suyu lütfen.

Waiter:	**Immediately.** [imi:dıɪtli]	Derhal.
	(after five minutes)	(beş dakika sonra)
Waiter:	**Here you are.** [hiɪ yu a:]	Buyrun.
Tom:	**Thank you. How much is that?** [tenk yu hau mɔç iz det]	Teşekkür ederim. Ne kadar?
Waiter:	**Two pounds.** [tu: paundz]	İki paund.

DIALOGUE 2

Robert:	**Do you want Coca Cola or Fanta?** [du yu wont koukı koulı o: fentı]	Coca Cola mı yoksa Fanta mı istersin?
Doris:	**Coca Cola, please.** [koukı koulı pli:z]	Coca Cola, lütfen.
Robert:	**Do you want a sandwich with it?** [du yu wont ı senwic wid it]	Yanında bir sandöviç ister misin?
Doris:	**Yes, please.** [yes pli:z]	Evet, lütfen.

176

Robert:	(to the waitress)	(bayan garsona)
	Two glasses of Coca Cola, please.	İki bardak Coca Cola
	And a sandwich. [tu: gla:siz ov koukı	lütfen. Ve bir sandviç.
	koulı pli:z end ı senwic]	

Waitress:	**Certainly.**	Elbette.
	[sö:tınli]	

Yukarıdaki günlük konuşmalarda karşımızda bulunan kişilerin neler istediklerini sormayı öğrendik. Soru cümle kalıbımızı bir kez daha gözden geçirelim.

Do you want .... or .... ?	.... mı yoksa .... mı istersin?
Do you want coffee or Coca Cola?	Kahve mi yoksa Coca Cola mı istersin?
Do you want a sandwich or a hamburger?	Sandöviç mi yoksa hamburger mi istersin?
Do you want a green salad or a tomato salad?	Yeşil salata mı yoksa domates salatası mı istersin?

Bu soruya verilecek cevaplar şu biçimde olabilir.

Kısa cevap: .... , **please.** .... , lütfen.
Uzun cevap: **I want ....** .... istiyorum.

I want a green salad.	Bir yeşil salata istiyorum.
I want a hamburger.	Bir hamburger istiyorum.
I want two sandwiches.	İki sandöviç istiyorum.
I want a cheese sandwich.	Peynirli bir sandöviç istiyorum.
I want two cheese sandwiches.	İki tane peynirli sandöviç istiyorum.

Lokantada veya bir pastanede sipariş verirken de aynı cümle kalıbı kullanılır.

I	WANT	A CHEESE SANDWICH.
WE	WANT	FOUR CHEESE SANDWICHES.

I want a hamburger, please.	Bir hamburger istiyorum, lütfen.
We want two hamburgers.	İki hamburger istiyoruz.
I want a glass of water.	Bir bardak su istiyorum.
I want a glass of milk.	Bir bardak süt istiyorum.
I want a cup of tea.	Bir fincan çay istiyorum.
I want a cup of coffee.	Bir fincan kahve istiyorum.

I want a hamburger and a glass of Coca Cola.	Bir hamburger ve bir bardak Coca Cola istiyorum.
I want a cheese sandwich and a glass of milk.	Bir tane peynirli sandöviç ve bir bardak süt istiyorum.

Fiyat sorulurken veya hesap istenirken kullanılan soru cümlesine dikkat ediniz.

How much.......... ?	Ne kadar? (Kaç para)
How much is a cup of tea?	Bir fincan çay ne kadar?
How much is a cheese sandwich?	Bir peynirli sandöviç ne kadar?
How much is a hamburger?	Bir hamburger ne kadar?
How much is a cup of coffee?	Bir fincan kahve ne kadar?

Günlük konuşmalarda bu sorulara genellikle kısa cevaplar verilir. Sorulan malın fiyatı doğrudan doğruya söylenir.

Two pounds.	İki paund.
Four pounds.	Dört paund.
Two hundred pounds.	İki yüz paund.
Twenty thousand liras.	Yirmi bin lira.
Fifty thousand liras.	Elli bin lira.
One million liras.	Bir milyon lira.

Bu derste öğrendiğimiz sözcükler

sözcük	okunuşu	anlamı
cake	[keyk]	pasta
waiter	[weytı]	garson
orange juice	[orinc cu:s]	portakal suyu
immediately	[imi:dııtli]	derhal
here you are	[hiı yu a:]	buyrun
dollar	[dolı]	dolar
sandwich	[senwic]	sandöviç
waitress	[weytris]	bayan garson
certainly	[sö:tınli]	elbette
pound	[paund]	pound- sterlin (İngiliz para birimi)

ders 21

A CUP (GLASS, BOTTLE, BOX, PACKET, KILO, JAR) OF ....

12.nci derste İngilizce'de isimlerin sayılabilir ve sayılamayan olarak ikiye ayrıldığını öğrenmiştik. Sayılamayan isimler (su, süt, çay, kahve, tuz vb.) bir kabın, bir şişenin, bir kutunun içine konuldukları zaman bu kapların sayısına göre sayılabilir duruma gelirler. Türkçe'deki "bir fincan kahve, bir bardak su, iki paket un" gibi ifadeler İngilizce'de aşağıdaki örneklerde göreceğiniz gibi söylenir.

a glass of.........	bir bardak ....
a glass of water	bir bardak su
a glass of milk	bir bardak süt
a cup of.........	bir fincan.........
a cup of coffee	bir fincan kahve
a cup of tea	bir fincan çay
a bottle of	bir şişe ....
a bottle of water	bir şişe su
a bottle of milk	bir şişe süt

a packet of salt
[ı pekit ov so:lt]

bir paket tuz

a kilo of butter
[ı ki:lou ov batı]

bir kilo tereyağı

a loaf of bread
[ı louf ov bred]

bir somun ekmek

a jar of jam
[ı ca:r ov cem]

bir kavanoz reçel

a piece of chocolate
[ı pi:s ov çoklit]

bir parça çikolata

Yukarıdaki örneklerde **water, milk, coffee, tea, salt, butter, bread, jam, chocolate** gibi sayılamayan isimler görüyoruz. Aynı kalıpta sayılabilen bir isim kullanılırsa, bu ismi daima ÇOĞUL olarak kullanmak gerekir.

a packet of butter	bir paket tereyağı (**Butter** sözcüğü sayılamayan isim olduğundan, tekildir.)
a packet of cigarettes	bir paket sigara (**Cigarettes** çoğul biçimdedir.)
a kilo of meat	bir kilo et (**Meat** sözcüğü sayılamayan bir isim olduğundan tekildir.)
a kilo of apples	bir kilo elma (**Apple** sayılabilen bir isimdir, dolayısıyla çoğuldur.)
a box of matches	bir kutu kibrit
a box of pencils	bir kutu kurşun kalem
a basket of flowers	bir sepet çiçek
a kilo of bananas	bir kilo muz
a kilo of oranges	bir kilo portakal

A	PACKET	OF	SALT

A PACKET	OF	CIGARETTES

A	KILO	OF	CHEESE

A	KILO	OF	OLIVES

İki isimden meydana gelen bu kalıplarda, baştaki isimler birden fazla sayıda olabilir.

a glass of water	bir bardak su
two glasses of water	iki bardak su
three glasses of water	üç bardak su
a piece of chocolate	bir parça çikolata
two pieces of chocolate	iki parça çikolata
five pieces of chocolate	beş parça çikolata
a packet of cigarettes	bir paket sigara
two packets of cigarettes	iki paket sigara
four packets of cigarettes	dört paket sigara
a bottle of milk	bir şişe süt
three bottles of milk	üç şişe süt
a kilo of cheese	bir kilo peynir
two kilos of cheese	iki kilo peynir
a kilo of tomatoes	bir kilo domates
three kilos of tomatoes	üç kilo domates

a loaf of bread
[ı louf ov bred]
bir somun ekmek

two loaves of bread
[tu: louvz ov bred]
iki somun ekmek

a box of matches
[ı boks ov meçiz]
bir kutu kibrit

two boxes of matches
[tu: boksiz ov meçiz]
iki kutu kibrit

a cup of tea
[ı kap ov ti:]
bir fincan çay

three cups of tea
[tri: kaps ov ti:]
üç fincan çay

two hundred grams of coffee
[tu: handrıd gremz ov kofi]
iki yüz gram kahve

two hundred and fifty grams of cheese
[tu: handrıd end fifti gremz ov çi:z]
iki yüz elli gram peynir

half a kilo of tomatoes
[ha:f ı ki:lou ov tıma:touz]
yarım kilo domates

a kilo of potatoes
[ı ki:lou ov pıteytouz]
bir kilo patates

TWO JARS	OF	HONEY

THREE BOXES	OF	MATCHES

CÜMLELER

There is a bottle of milk in the refrigerator.	Buzdolabında bir şişe süt var.
There isn't a glass of water on the table.	Masanın üstünde bir bardak su yok.
Is there a bottle of milk at home?	Evde bir şişe süt var mı?
Yes, there is.	Evet, var.

There are two cups of coffee on the table. — Masanın üstünde iki fincan kahve var.

There is a packet of salt in the cupboard. — Mutfak dolabında bir paket tuz var.

There is a jar of jam here. — Burada bir kavanoz reçel var.

There are three bottles of milk in the kitchen. — Mutfakta üç şişe süt var.

There is a box of matches near the television. — Televizyonun yanında bir kutu kibrit var.

Have you got a packet of cigarettes? — Bir paket sigaran var mı?

Has Robert got a box of matches? — Robert'in bir kutu kibriti var mı?

Have you got a bottle of Italian cheese? — Bir şişe İtalyan peyniriniz var mı?

He is drinking a cup of tea. — Bir fincan çay içiyor.

She is drinking a glass of milk. — Bir bardak süt içiyor.

Tom is eating a piece of cheese. — Tom bir parça peynir yiyor.

Susan is eating a piece of chocolate. — Susan bir parça çikolata yiyor.

Mr. Atkins is buying a kilo of tomatoes and half a kilo of potatoes. — Mr. Atkins bir kilo domates ve yarım kilo patates alıyor.

Are you buying two kilos of fish? — İki kilo balık mı alıyorsun?

Look at Mrs. Madelin! She is buying ten loaves of bread. — Bayan Madelin'e bakın! On somun ekmek alıyor.

The fat boy eats two loaves of bread in the mornings. — Şişman çocuk sabahları iki somun ekmek yer.

I eat a piece of bread and a piece of cheese in the morning. — Ben sabahleyin bir parça ekmek ve bir parça peynir yerim.

I drink two cups of tea. — İki fincan çay içerim.

My brother drinks four cups of tea. — Erkek kardeşim dört bardak çay içer.

Do you drink two bottles of milk? — Sen iki şişe süt mü içersin?

The man is buying five kilos of oranges.
There are three packets of cigarettes on the table.
We have got five kilos of sugar at home.
He eats a small packet of butter in the morning.
She drinks ten cups of coffee a day.
There is a bottle of milk near the refrigerator.

UYGULAMA

Aşağıdaki cümlelerde boş bırakılan yerleri doldurunuz.

1. The girl is drinking a glass .... milk.
2. The girls .... eating two kilos of tomatoes.
3. .... there a box of matches on the table?
4. .... there two loaves of bread at home?
5. He .... buying a jar of jam and a bottle of milk.
6. I .... eating a piece of chocolate.
7. There isn't .... glass of water here.

Bu derste öğrendiğimiz sözcükler

sözcük	okunuşu	anlamı
packet	[pekit]	paket
kilo	[ki:lou]	kilo
loaf	[louf]	somun
jar	[ca:]	kavanoz
piece	[pi:s]	parça
gram	[grem]	gram
half a kilo	[ha:f ı ki:lou]	yarım kilo
potato	[pıteytou]	patates

ders 22

GENİŞ ZAMANDA SORU SÖZCÜKLERİNİN KULLANILMASI

What, where, what time, how, how many, how much, who, whose, when gibi soru sözcüklerinin kullanılmasını ve bu sözcüklerin şimdiki zaman soru cümlelerinin önünde kullanılışlarını biliyoruz.

What is your surname?	Soyadınız ne?
What is Mary's job?	Mary'nin işi ne?
What is your nationality?	Milliyetiniz ne?
What is Doris doing?	Doris ne yapıyor?
What are the students studying?	Öğrenciler ne çalışıyorlar?
What are the children playing?	Çocuklar ne oynuyorlar?
What is Mr. Taylor buying?	Bay Taylor ne satın alıyor?
Where is your dictionary?	Sözlüğünüz nerede?
Where are the birds?	Kuşlar nerede?
Where is the post office?	Postane nerede?
Where is Betty's house?	Betty'nin evi nerede?
Where are you from?	Nerelisiniz?
Where is Brigitte from?	Brigitte nereli?
Where is Tom sleeping?	Tom nerede uyuyor?
Where is Jane standing?	Jane nerede (ayakta) duruyor?
Where are you going?	Nereye gidiyorsun?
Where is Peter swimming?	Peter nerede yüzüyor?
What time is it?	Saat kaç?
What time is the film?	Film saat kaçta?
What time are you going to bed?	Saat kaçta yatıyorsun?
What time are you having breakfast?	Saat kaçta kahvaltı ediyorsun?
What time is John getting up?	John saat kaçta kalkıyor?
What time are Mr. and Mrs. Black having dinner?	Bay ve Bayan Black saat kaçta akşam yemeği yiyorlar?
How are you?	Nasılsın?
How is your father?	Babanız nasıl?
How are your children?	Çocuklarınız nasıl?
How is your tooth?	Dişiniz nasıl?
How are you going there?	Oraya nasıl gidiyorsun?

185

How many brothers have you got?	Kaç tane erkek kardeşiniz var?
How many children have you got?	Kaç çocuğunuz var?
How many sons has Mr. Robinson got?	Bay Robinson'un kaç oğlu var?
How many hats has Mrs. Taylor got?	Bayan Taylor'un kaç şapkası var?
How many rooms are there in your house?	Evinizde kaç oda var?
How many shops are there in this street?	Bu caddede kaç tane dükkân var?
How many apples are you eating?	Kaç tane elma yiyorsun?
How much milk is there in the house?	Evde ne kadar süt var?
How much coffee have we got?	Ne kadar kahvemiz var?
How much meat is there in the refrigerator?	Buzdolabında ne kadar et var?
How much cheese are you buying?	Ne kadar peynir alıyorsun?
How much money have you got?	Ne kadar paran var?
Who are you?	Kimsiniz?
Who is it?	Kim o?
Who is that man?	Şu adam kim?
Who is Miss Madelin?	Bayan Madelin kim?
Who is your new secretary?	Yeni sekreteriniz kim?
Who is playing in the garden?	Bahçede kim oynuyor?
Who is watching television?	Kim televizyon seyrediyor?
Whose book is this?	Bu kimin kitabı?
Whose notebooks are these?	Bunlar kimin defterleri?
Whose book are you reading?	Kimin kitabını okuyorsun?
Whose letter is John reading?	John kimin mektubunu okuyor?
Whose jacket is black?	Kimin ceketi siyah?
When are you going home?	Eve ne zaman gidiyorsun?
When are you eating dinner?	Akşam yemeğini ne zaman yiyorsun?
When is Helen going to bed?	Helen ne zaman yatıyor?
When are you writing your letter?	Mektubunu ne zaman yazıyorsun?

Şimdiye kadar öğrendiğimiz soru sözcüklerinin örneklerle kısa bir özetini gördükten sonra, şimdi de bu sözcüklerin geniş zaman soru cümleleri ne şekilde kullanıldığını öğrenelim.

Soru sözcükleri soru halindeki geniş zaman cümlelerinin başına getirilir.

Do you play?	Oynar mısın?
Do you play football?	Futbol oynar mısın?
What do you play?	Ne oynarsın?
Do you drink?	İçer misiniz?
What do you drink?	Ne içersin?
Does he eat?	Yer mi?
What does he eat?	Ne yer?
Do they read?	Okurlar mı?
What do they read?	Ne okurlar?
Do you have lunch?	Öğle yemeği yer misiniz?
Where do you have lunch?	Öğle yemeğini nerede yersiniz?
Does she work?	Çalışır mı?
Where does she work?	Nerede çalışır?
Do you go?	Gider misin?
Where do you go?	Nereye gidersin?
Do you have breakfast?	Kahvaltı eder misin?
What time do you have breakfast?	Saat kaçta kahvaltı edersin?
Does Betty have breakfast?	Betty kahvaltı eder mi?
What time does Betty have breakfast?	Betty saat kaçta kahvaltı eder?

WHAT	DO	YOU	STUDY ?

WHERE	DO	YOU	LIVE ?

WHAT TIME	DO	YOU	GET UP ?

WHAT	DOES	SHE	STUDY?

WHERE	DOES	HE	LIVE?

WHAT TIME	DOES	SHE	GET UP?

What do you have for breakfast?
[wot du: yu: hev fo: brekfıst]

I have olives, cheese, bread and tea.
[ay hev olivz çi:z bred end ti:]

Kahvaltıda ne yersiniz?

Zeytin, peynir, ekmek yerim, çay içerim.

What do you do after dinner?
[wot du: yu: du: a:ftı dinı]

I study my lessons.
[ay stadi may lesınz]

Akşam yemeğinden sonra ne yaparsınız?

Derslerime çalışırım.

What does she do before breakfast?
[wot daz şi: du: bifo: brekfıst]

She washes her hands and face.
[şi: woşiz hö: hendz end feys]

Kahvaltıdan önce ne yapar?

Ellerini ve yüzünü yıkar.

What do you do at the weekends?
[wot du: yu: du: et dı wi:kendz]

I visit my relatives.
[ay vizit may relıtivz]

Hafta sonları ne yaparsınız?

Akrabalarımı ziyaret ederim.

What do you do in your spare time?
[wot du: yu: du: in yo: speı taym]

I listen to music and study English?
[ay lisın tu myu:zik end stadi ingliş]

Boş zamanlarınızda ne yaparsınız?

Müzik dinlerim ve İngilizce çalışırım.

Where do you work?
[weı du: yu: wö:k]

I work in a factory.
[ay wö:k in ı fektıri]

Nerede çalışırsınız?

Fabrikada çalışırım.

Where do you have lunch?
[weı du: yu: hev lanç]

I have lunch in the canteen.
[ay hev lanç in dı kenti:n]

Öğle yemeğini nerede yersiniz?

Öğle yemeğini kantinde yerim.

What time do you get up?
[wot taym du: yu: get ap]

I get up at seven o'clock.
[ay get ap et sevın ıklok]

Saat kaçta kalkarsınız?

Saat yedide kalkarım.

What time do you have breakfast?
[wot taym du: yu: hev brekfıst]

I have breakfast at half past seven.
[ay hev brekfıst et ha:f pa:st sevın]

Saat kaçta kahvaltı edersiniz?

Saat yedi buçukta kahvaltı ederim.

What time do you go to bed?
[wot taym du: yu: gou tu bed]

I go to bed at eleven o'clock.
[ay gou tu bed et ilevın ıklok]

Saat kaçta yatarsınız?

Saat on birde yatarım.

189

What, where, what time soru sözcükleri ile başlayan geniş zaman cümle kalıbı:

Soru Sözcüğü	do veya does	özne	fiil	diğer sözcükler
What	do	you	do	in your factory?
What	does	he	play?	
Where	do	you	play	basketball?
Where	does	she	go	after lunch?
What time	do	they	have	lunch?
What time	does	he	go	to bed?

CÜMLELER

Where does Peter work? — Peter nerede çalışır?
He works in an office. — Büroda çalışır.
Where does your father work? — Babanız nerede çalışır?
He works in a shop in Fatih. — Fatih'te bir dükkânda çalışır.
Where do the children play? — Çocuklar nerede futbol oynarlar?
They play football in the garden. — Bahçede futbol oynarlar.
Where does Pamela live? — Pamela nerede oturur? (yaşar?)
She lives in New York. — New York'ta oturur.
What time does Susan get up? — Susan saat kaçta kalkar?
She gets up at six o'clock. — Sat altıda kalkar.
Where do you live? — Nerede oturursunuz?
I live in Istanbul. — İstanbul'da otururum. (yaşarım)
What does Tom do in his spare time? — Tom boş zamanlarında ne yapar?
He plays basketball. — Basketbol oynar.
What does Mary do after dinner? — Mary akşam yemeğinden sonra ne yapar?
She helps her mother in the kitchen. — Annesine mutfakta yardım eder.

Where do they work?
What time does your sister go to school?
Where does Tom study English?
What time does your father arrive home?
What does your mother do in her spare time?
What time do the children go to bed?
Where do Mr. and Mrs. Taylor live?

İngilizce'de **What do you do? What does he do?** türünden sorular kişilerin mesleklerinin öğrenilmesinde kullanılır. Bu sorular daha önce öğrendiğimiz **What are you?** "Necisin?" ve **What's your job?** "İşiniz ne?" cümleleri ile eş anlam taşırlar.

What do you do?	Ne yaparsınız? (Mesleğiniz ne?)
What does he do?	Ne yapar? (Mesleği ne?)

Özellikle **"What do you do?"** sorusunu **"What are you doing?"** sorusu ile karıştırmayınız. Bu sıkça rastlanan bir hatadır. Dikkat ediniz.

What do you do?	Ne yaparsınız? (İşiniz ne?)
I am a teacher.	Öğretmenim.
I am an accountant.	Muhasebeciyim.
I am a lawyer.	Avukatım.
What are you doing?	Ne yapıyorsun? (Yaptığın hareket ne?)
I am reading a book.	Kitap okuyorum.
I am studying English.	İngilizce çalışıyorum.
I am writing a letter.	Mektup yazıyorum.
What does Miss Madelin do?	Bayan Madelin ne yapar? (İşi ne?)
She is a chemist.	Eczacıdır.
What does your father do?	Babanız ne yapar?
He works in a bank.	Bankada çalışır.
What does Mr. West do?	Bay West ne yapar?
He is an engineer.	Mühendistir.
What does Mrs. West do?	Bayan West ne yapar?
She is a housewife.	Ev hanımıdır.
What does your husband do?	Kocanız ne yapar?
He is a businessman.	İş adamıdır.
What does your wife do?	Karınız ne yapar?
She is a nurse.	Hemşiredir.

What do Mr. and Mrs. White do?
What does your son do?
What does Tom's sister do?
What does Mr. Black's daughter do?

"Nasıl" anlamına gelen **how** ve "ne zaman" anlamı taşıyan **when** soru sözcükleri de tıpkı biraz önce öğrendiğimiz soru sözcükleri gibi geniş zaman cümlelerinin başında yer alırlar.

Do you play?	Oynar mısın?
How do you play?	Nasıl oynarsın?
How do you play tennis?	Tenisi nasıl oynarsın?

Do you go?	Gider misin?
How do you go?	Nasıl gidersin?
How do you go to Ankara?	Ankara'ya nasıl gidersin?

Do you open?	Açar mısın?
How do you open?	Nasıl açarsın?
How do you open this box?	Bu kutuyu nasıl açarsın?

Do you have breakfast?	Kahvaltı eder misin?
When do you have breakfast?	Ne zaman kahvaltı edersin?

Does he come?	Gelir mi?
When does he come?	Ne zaman gelir?
When does he come here?	Buraya ne zaman gelir?

HOW	DO	YOU	GO	THERE ?
WHEN	DO	YOU	HAVE	LUNCH ?
HOW	DOES	HE	GO	THERE ?
WHEN	DOES	SHE	HAVE	LUNCH ?

How do you go to work?
[hau du yu gou tu wö:k]
İşe nasıl gidersiniz?

I go to work by bus.
[ay gou tu wö:k bay bas]
İşe otobüs ile giderim.

How does Susan go to work?
[hau daz su:zın gou tu wö:k]
Susan işe nasıl gider?

She goes to work by train.
[şi: gouz tu wö:k bay treyn]
Tren ile gider.

How does Mr. West get to work?
[hau daz mistı west get tu wö:k]

He gets to work by car.
[hi: gets tu wö:k bay ka:]

Bay West işe nasıl gider?

İşe araba ile gider.

How does Tom get to school?
[hau daz tom get tu sku:l]

He walks.
[hi: wo:ks]

Tom okula nasıl gider?

Yürür.

How does Betty get to the office?
[hau daz beti get tu di ofis]

She gets to the office on foot.
[şi: gets tu di ofis on fut]

Betty büroya nasıl gider?

Büroya yaya olarak gider.

How do the students get to their school?
[hau du: dı styu:dınts get tu deı sku:l]

They get to their school by the school bus.
[dey get tu deı sku:l bay dı sku:l bas]

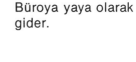

Öğrenciler okullarına nasıl giderler?

Okullarına okul otobüsü ile giderler.

When do you play football?
[wen du: yu: pley futbo:l]

I play football on Sundays.
[ay pley futbo:l on sandiz]

Ne zaman futbol oynarsın?

Pazar günleri futbol oynarım.

When do you ski?
[wen du: yu: ski:]

I ski in the winter.
[ay ski: in dı wintı]

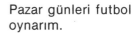

Ne zaman kayak yaparsın?

Kışın kayak yaparım.

193

CÜMLELER

How do the workers get to the factory?	İşçiler fabrikaya nasıl giderler?
They get to the factory by bus.	Fabrikaya otobüs ile giderler.
When do you go to bed?	Ne zaman yatarsın?
When does Mrs. Green get up?	Bayan Green ne zaman kalkar?
When do the banks open?	Bankalar ne zaman açılır?
When does the post office open?	Postane ne zaman açılır?
When do you watch football?	Ne zaman futbol (maçı) seyredersin?
I watch football on Sundays.	Pazar günü futbol maçı seyrederim.
When do you study English?	Ne zaman İngilizce çalışırsın?
I study English in the evening.	Akşamleyin İngilizce çalışırım.
How do you get to work?	İşe nasıl gidersin?
I get to work on foot.	İşe yürüyerek (yaya olarak) giderim.

When do you have dinner?
When does Tom listen to the radio?
How does Mary get to school?
When do the postmen arrive home?
How do the doctors get to the hospital?
When does your father get up?
How do Mr. and Mrs. Black get to their office?

How ve when soru sözcükleri ile başlayan geniş zaman soru cümlesi kalıbı:

Soru Sözcüğü	do veya does	özne	fiil	diğer sözcükler
How	do	you	get	to work?
How	does	he	play	tennis?
When	do	you	have	dinner?
When	does	she	watch	television?
When	do	they	go	to bed?

UYGULAMA

Aşağıdaki cümleleri İngilizceye çeviriniz.

1. Babanız işe nasıl gider?
2. Kaçta kalkarsınız?
3. Akşam yemeğinden sonra ne yaparsınız?
4. Tom kaçta yatar?
5. Akşam yemeğini kaçta yersiniz?
6. Bay Taylor nerede çalışır?
7. Postane saat kaçta açılır?

Bu derste öğrendiğimiz sözcükler

sözcük	okunuşu	anlamı
after	[a:ftı]	sonra
before	[bifo:]	önce
weekend	[wi:kend]	hafta sonu
to visit	[tu vizit]	ziyaret etmek
ŗelative	[relıtiv]	akraba
spare time	[speı taym]	boş zaman, boş vakit
canteen	[kenti:n]	kantin
to get to work	[tu get tu wö:k]	işe gitmek
by	[bay]	ile
to walk	[tu wo:k]	yürümek
on foot	[on fut]	yaya olarak
to ski	[tu ski:]	kayak yapmak

ders

TEKRARLAMA (SIKLIK) BİLDİREN SÖZCÜKLER SIKLIK ZARFLARI

Türkçe'de bir hareketin ne kadar sıklıkta veya ne kadar ara ile tekrarlandığını belirten "daima, genellikle, sık sık, bazen, nadiren, asla" gibi sözcüklerin İngilizce karşılıkları aşağıdaki gibidir.

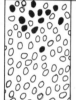 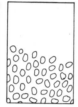 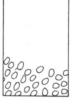  

always	**usually**	**often**	**sometimes**	**rarely**	**never**
[o:lweyz]	[yu:juıli]	[ofın]	[samtaymz]	[reıli]	[nevı]
daima, her zaman	genellikle	sık sık	bazen	nadiren	asla, hiç bir zaman

Bu sözcükler genellikle özne ile fiil arasında yer alırlar.

I get up early.   Erken kaikarım.
I always get up early.   Daima erken kalkarım.
I usually get up early.   Genellikle erken kalkarım.
I often get up early.   Sık sık erken kalkarım.
I sometimes get up early.   Bazen erken kalkarım.
I rarely get up early.   Nadiren erken kalkarım.
I never get up early.   Asla erken kalkmam.

"Asla, hiçbir zaman" anlamına gelen **never** sözcüğü olumlu bir cümlede kullanılmasına rağmen olumsuz anlam verir. Bu sözcüğün özel kullanımına biraz sonra değineceğiz.

I drink milk in the morning.   Sabahleyin süt içerim.
I always drink milk in the morning.   Sabahleyin daima süt içerim.
I usually drink milk in the morning.   Sabahleyin genellikle süt içerim.

I often drink milk in the morning.	Sabahleyin sık sık süt içerim.
I sometimes drink milk in the morning.	Sabahleyin bazen süt içerim.
I rarely drink milk in the morning.	Sabahleyin nadiren süt içerim.

You sometimes help your father.	Babana bazen yardım edersin.
He usually comes here.	Genellikle buraya gelir.
She often listens to American music.	Sık sık Amerikan müziği dinler.
My cat rarely eats bread.	Kedim nadiren ekmek yer.
We always study our lessons.	Daima derslerimize çalışırız.
You often go to the cinema.	Sık sık sinemaya gidersiniz.
They usually go to bed late.	Genellikle geç yatarlar.
My father usually drinks coffee.	Babam genellikle kahve içer.
I sometimes smoke.	Bazen sigara içerim.
Mary's father always gets up early.	Mary'nin babası daima erken kalkar.

I	ALWAYS	GET UP	EARLY.

SHE	USUALLY	DRINKS	MILK.

HE	SOMETIMES	WATCHES	TELEVISION.

THEY	OFTEN	GO	TO THE CİNEMA.

I sometimes play the guitar.
[ay samtaymz pley dı gita:]
Bazen gitar çalarım.

Betty usually sings.
[beti yu:juıli singz]
Betty genellikle şarkı söyler.

It rarely snows in Adana in the winter.
[it reıli snouz in adana in dı wintı]
Adana'da kışın nadiren kar yağar.

It often rains in Izmir in the autumn.
[it ofın reynz in izmir in di o:tım]
İzmir'de sonbaharda sık sık yağmur yağar.

CÜMLELER

Mr. Madelin always goes to that cinema.
Bay Madelin daima şu sinemaya gider.

My mother usually has a piece of bread and butter for breakfast.
Annem kahvaltıda genellikle bir parça ekmek ve tereyağı yer.

We often watch television in the evening.
Akşamleyin biz sık sık televizyon seyrederiz.

Do you always go to work by bus?
İşe daima otobüsle mi gidersin?

No, I sometimes go by car.
Hayır, bazen arabayla giderim.

Do you always get up early?
Daima erken mi kalkarsın?

No, I sometimes get up late.
Hayır, bazen geç kalkarım.

Tom rarely smokes American cigarettes.
Tom nadiren Amerikan sigarası içer.

I sometimes read books but I often study English at the weekends.
Hafta sonları bazen kitap okurum ancak sık İngilizce çalışırım.

They usually visit their relatives at the weekends.
Onlar hafta sonları sık sık akrabalarını ziyaret ederler.

Those children always play in our garden.
Şu çocuklar daima bizim bahçemizde oynarlar.

I rarely play football but I often watch football.
Ben nadiren futbol oynarım ama sık sık futbol (maçlarını) seyrederim.

Do you often walk to work?
İşe sık sık yürür müsünüz?

No, I sometimes get there by bus.
Hayır, oraya bazen otobüsle giderim.

We oftens listen to the radio in the morning.
He rarely drinks tea. He often drinks milk.
They always go to work by car.
She usually swims in the summer.
My father usually comes home early.

Tekrarlama (sıklık) bildiren sözcüklerle geniş zaman cümle kalıbı:

özne	sıklık bildiren sözcük	fiil	diğer sözcükler
I	always	drink	tea.
You	usually	go	to the theatre.
He	often	gets up	late.
It	rarely	eats	bread.
We	sometimes	eat	meat.
You	always	watch	television.
They	sometimes	play	football.

NEVER

"Asla, hiç, hiçbir zaman" anlamında olan **never** [nevı] sözcüğü az önce de değindiğimiz gibi olumlu cümlelerle kullanılır ancak olumsuz bir sözcük olduğundan cümleyi olumsuz yapar. **Never** sözcüğü **always** sözcüğünün zıt anlamlısıdır.

He comes late.	Geç gelir.
He never comes late.	Asla geç gelir = Asla geç gelmez.
She smokes.	Sigara içer.
She never smokes.	Asla sigara içer = Asla sigara içmez.
I get up late.	Erken kalkarım.
I never get up late.	Asla erken kalkmam.
She never buys meat from that butcher.	Şu kasaptan asla et almaz.
They never watch television.	Asla televizyon seyretmezler.
I never drink tea.	Hiçbir zaman çay içmem.
My father never eats fish.	Babam asla balık yemez.
It never snows in Antalya.	Antalya'da asla kar yağmaz.

I	NEVER	GET UP	LATE.

HE	NEVER	WRITES	LETTERS.

Mary never helps her sister.	Mary kızkardeşine asla yardım etmez.
I never come home late.	Eve asla geç gelmem.
Cows never eat fish.	İnekler asla balık yemezler.
They never go to the cinema.	Asla sinemaya gitmezler.
She never watches television.	Asla televizyon seyretmez.
I never go there.	Asla oraya gitmem.
I never drink coffee in the morning.	Sabahleyin asla kahve içmem.
Doris never plays in the street.	Doris asla caddede oynamaz.
My son never goes to bed late.	Oğlum asla geç yatmaz.

They never arrive late.
He never smokes in front of his parents.

Never sözcüğü ile geniş zaman cümle kalıbı:

özne	never	fiil	diğer sözcükler
I	never	play	in the garden.
You	never	eat	peaches.
He	never	smokes	in front of his parent.
She	never	gets up	late.
My cat	never	eats	bread.
We	never	watch	football.
They	never	come	here.

UYGULAMA

A. Aşağıdaki cümlelerden sonra parantez içinde verilmiş sıklık bildiren söz-cükleri cümledeki uygun yerlere koyunuz.

Örnek: **The children play in the street. (never)**
The children never play in the street.

1. **Mrs. West buys cheese, butter and olives from this shop. (often)**
2. **We read English and American magazines. (usually)**
3. **Tom's sister comes to our house on Sundays. (sometimes)**

4. Their parents go to the U.S.A. in the summer. (always)
5. Her dog eats tomatoes and potatoes. (often)
6. It snows in England in the winter. (always)
7. We go to the factory by bus. (sometimes)

B. Aşağıdaki cümlelere **never** sözcüğünü ekleyiniz.

Örnek: **They come late. They never come late.**

1. Betty sits near Susan.
2. We listen to the radio.
3. I drink tea in the morning.
4. They go to Mrs. West's house.
5. He goes to bed late.
6. Our teachers come late.
7. John helps his brother.

Bu derste öğrendiğimiz sözcükler

sözcük	okunuşu	anlamı
always	[o:lweyz]	daima, her zaman
usually	[yu:juıli]	genellikle
often	[ofın]	sık sık
sometimes	[samtayzm]	bazen
rarely	[reıli]	nadiren
never	[nevı]	asla, hiçbir zaman
to play	[tu pley]	çalmak (bir enstrüman)
guitar	[gita:]	gitar
to sing	[tu sing]	şarkı söylemek
to snow	[tu snou]	(kar) yağmak
to rain	[tu reyn]	(yağmur) yağmak

ders 24

HOW OFTEN

Bir hareketin ne kadar sıklıkta tekrarlandığını sormak için **"how often"** [hau ofın] ile başlayan soru cümlesi kullanılır. Bildiğiniz gibi **how** sözcüğü tek başına kullanıldığında "nasıl" anlamını taşımasına karşın, diğer sözcüklerle birlikte kullanıldığından değişik anlamlara geliyor ve önemli soru cümleleri oluşturuyordu.

how	nasıl
how many	kaç tane
how much	ne kadar
how tall	boyu ne kadar
how high	yüksekliği ne kadar
how far	ne kadar uzaklıkta
often	sık sık
how often	ne kadar sıklıkta, kaç defa

How often do you go to the cinema?	Sinemaya ne kadar sıklıkta gidersin?
How often do you eat meat?	Ne kadar sıklıkta et yersiniz?
How often does he come here?	Buraya ne kadar sıklıkta gelir?
How often do they go there?	Oraya ne kadar sıklıkta giderler?

HOW OFTEN	DO YOU GO	TO THE THEATRE?

How often do you go to the barber's?
[hau ofın du yu gou tu dı ba:bız]
Berbere ne kadar sıklıkta gidersin?

How often does she go to the hairdresser's?
[hau ofın daz şi: gou tu dı heıdresız]
Kuaföre ne kadar sıklıkta gider?

CÜMLELER

How often do you visit your relatives?	Akrabalarınızı ne kadar sıklıkta ziyaret edersiniz?
How often does Mr. West go to England?	Bay West ne kadar sıklıkta İngiltere'ye gider.
How often do you drink coffee?	Ne kadar sıklıkta kahve içersiniz?
How often do your parents go to the theatre?	Anne ve babanız ne kadar sıklıkta tiyatroya giderler?
How often do the children play in the garden?	Çocuklar ne kadar sıklıkta bahçede oynarlar?
How often do they come to our house?	Evimize ne kadar sıklıkta gelirler?
How often do you write letters?	Ne kadar sıklıkta mektup yazarsın?
How often does Brigitte buy English newspapers?	Brigitte ne kadar sıklıkta İngiliz gazetesi satın alır?
How often does your mother go to the hairdresser's?	Anneniz ne kadar sıklıkta kuaföre gider?

How often does Peter play basketball?
How often do the boys drink milk?
How often do you buy bread?
How often does the postman come to your house?
How often does she sing?
How often do you get to work on foot?

How often ile başlayan geniş zaman cümle kalıbı

how often	do veya does	özne	fiil	diğer sözcükler
How often	do	you	visit	your friends?
How often	does	he	buy	meat?
How often	does	she	go	to a restaurant?
How often	does	he	walk	in the park?
How often	do	they	come	there?

EVERY

Every [evri] "her" anlamına gelir. Özellikle hareketlerin ne kadar sıklıkta tekrarlandığını belirtmek için kullanılır.

every	her
every day	her gün

every week	her hafta
every month	her ay
every year	her yıl

every morning	her sabah
every afternoon	her öğleden sonra
every evening	her akşam
every night	her gece

I wash my hands and face every day.	Her gün ellerimi ve yüzümü yıkarım.
We visit our relatives every week.	Her hafta akrabalarımızı ziyaret ederiz.
She goes to the theatre every month.	Her ay tiyatroya gider.
He comes to Turkey every year.	Her yıl Türkiye'ye gelir.
I drink a glass of milk every morning.	Her sabah bir bardak süt içerim.
She sleeps every afternoon.	Her öğleden sonra uyur.
We watch television every evening.	Her akşam televizyon seyrederiz.
They go to bed early every night.	Her gece erken yatarlar.

I	GO	TO THE CINEMA	EVERY WEEK.
HE	COMES	HERE	EVERY DAY.

He listens to American music every day.	Her gün Amerikan müziği dinler.
She plays the guitar every evening.	Her akşam gitar çalar.
Does he drink milk every day?	Her gün süt mü içer?
Yes, he drinks two bottles of milk every day.	Evet, her gün iki şişe süt içer.
Does your father drink coffee every morning?	Baban her sabah kahve mi içer?
No, he drinks three cups of tea every morning.	Hayır, her sabah üç fincan çay içer.

Do you go to school every day?	Okula her gün mü gidersin?
Does he go to work every day?	Her gün mü işe gider?
Does he go to bed early every day?	Her gün erken mi yatar?

Does Mrs. Black sleep every afternoon?	Bayan Black her öğleden sonra uyur mu?
Do you walk to work every day?	Her gün işe yürüyerek mi gidersin?
Do you go to Antalya every year?	Her yıl Antalya'ya mı gidersiniz?
Do they swim every summer?	Her yaz yüzerler mi?
Do you buy meat every week?	Her hafta et alır mısınız?

Every sözcüğü ile olumlu geniş zaman cümle kalıbı:

özne	fill	diğer sözcükler	every + zaman sözcüğü
I	work	here	every day.
You	drink	a glass of milk	every morning.
He	goes	to the cinema	every week.
She	studies	English	every evening.
My cat	eats	half a kilo of meat	every day.
We	go	to London	every year.
They	come	to our house	every month.

.... TIMES

Time sözcüğünün "zaman, vakit" anlamında olduğunu öğrenmiştik. Bu sözcüğe (s) eklenirse "kere, defa" anlamını kazanır.

three times	üç kere
four times	dört kere
five times	beş kere
six times	altı kere

ten times	on kere
fifteen times	onbeş kere
twenty times	yirmi kere
thirty times	otuz kere
one hundred times	yüz kere

Yalnız "bir kere" ve "iki kere" ifadeleri bu kurala göre yapılmaz. Bunlar için özel sözcükler kullanılır.

once	bir kere, bir defa
twice	iki kere, iki defa

Please read this book once.	Lütfen bu kitabı bir kere oku.
I always read my letters twice.	Ben daima mektuplarımı iki kez okurum.
She writes her books four times.	Kitaplarını dört kere yazar.

ONCE, TWICE, THREE TIMES .... A DAY (WEEK, MONTH, YEAR)

Türkçe'deki "günde bir kere, haftada üç kere, ayda beş defa, yılda iki kez" gibi ifadeler az önce öğrendiğimiz sözcüklerin ardından **a day** "bir gün", **a week** "bir hafta", **a month** "bir ay", **a year** "bir yıl" sözcüklerinin getirilmesiyle oluşturulur.

once	bir kere
once a day	günde bir kere
twice	iki kere
twice a week	haftada iki kere
three times	üç kere
three times a week	haftada üç kere
four times	dört kere
four times a day	günde dört kere
five times	beş kere
five times a week	haftada beş kere
six times	altı kere
six times a month	ayda altı kere
ten times	on kere
ten times a year	yılda on kere

Gördüğünüz gibi yukarıdaki guruplaşmalarda **a day** "günde", **a week** "haftada", **a month** "ayda", **a year** "yılda" anlamı vermektedir. (Aslında **a day (in a day), a week (in a week), a month (in a month), a year (in a year)** demektir. Dilde yapılan kısaltma ile **in** sözcükleri atılmıştır.

once a day	günde bir kere
twice a day	günde iki kere
five times a day	günde beş kere
eight times a day	günde sekiz kere
four times a week	haftada dört kere
nine times a week	haftada dokuz kere
ten times a week	haftada on kere
once a week	haftada bir kere

three times a month	ayda üç kere
four times a month	ayda dört kere
ten times a month	ayda on kere
once a month	ayda bir kere

twice a year	yılda iki kere
four times a year	yılda dört kere
five times a year	yılda beş kere
twenty times a year	yılda yirmi kere

I go to the barber's once a month.	Ayda bir kere berbere giderim.
My wife goes to the hairdresser's once a week.	Karım haftada bir kere kuaföre gider.
We go to the theatre once a year.	Yılda bir kere tiyatroya gideriz.
We go to the cinema once a month.	Ayda bir kere sinemaya gideriz.
Mr. West drinks coffee five times a day.	Bay West günde beş kere kahve içer.
Mrs. West drinks tea ten times a day.	Bayan West günde on kere çay içer.
I wash my hands and feet five times a day.	Ellerimi ve ayaklarımı günde beş kere yıkarım.
The doctor comes here twice a day.	Doktor buraya günde iki kere gelir.
We visit our relatives once a month.	Akrabalarımızı ayda bir kere ziyaret ederiz.

I	GO	TO THE BUTCHER'S	ONCE A WEEK.
HE	COMES	HERE	TWICE A MONTH.

I telephone Jane three times a day.
[ay telifoun ceyn tri: taymz ı dey]
Jane'e günde üç kere telefon ederim.

The woman cleans the windows twice a week.
[dı wumın kli:nz dı windouz tways ı wi:k]
Kadın haftada iki kere camları temizler.

He travels to France twice a month.
[hi: trevılz tu fra:ns tways ı mant]
Ayda iki kere Fransa'ya yolculuk yapar.

Drink this medicine three times a day.
[drink dis medsın tri: taymz ı dey]
Bu ilacı günde üç kere içiniz.

The poor man buys meat once a year.
[dı puı men bayz mi:t wans ı yiı]

Yoksul adam ayda bir kere et satın alır.

This rich man eats meat three times a week.
[dis riç men i:ts mi:t tri taymz ı wi:k]
Bu zengin adam haftada üç kere et yer.

I see the director four times a day.
[ay si: dı direktı fo: taymz ı dey]
Müdürü günde üç kere görürüm.

She combs her hair ten times a day.
[şi: koumz hö: heı ten taymz ı dey]
Saçını günde on kere tarar.

How often do you telephone your friend?
I telephone my friend every day.

Arkadaşına ne kadar sıklıkta telefon edersin?
Arkadaşıma her gün telefon ederim.

How often does Mary go to the hairdresser's?
She goes to the hairdresser's twice a month.
How often does she clean the house?

Mary ne kadar sıklıkta kuaföre gider?
Ayda iki kere kuaföre gider.

Evi ne kadar sıklıkta temizler?

She cleans the house three times a week.	Evi haftada üç kere temizler.
How often does Mr. Green go to the barber's?	Bay Green ne kadar sıklıkta berbere gider?
He goes to the barber twice a month.	Ayda iki kere berbere gider.
How often do you buy meat?	Ne kadar sıklıkta et alırsınız?
We buy meat three times a month.	Ayda üç kere et alırız.
How often does it snow in İzmir?	İzmir'e ne kadar sıklıkta kar yağar?
It snows once or twice a year.	Yılda bir veya iki kere kar yağar.
How often does your director go to England?	Müdürünüz ne kadar sıklıkta İngiltere'ye gider?
He goes to England every month.	Her ay İngiltere'ye gider.
How often does it rain in İstanbul?	İstanbul'a ne kadar sıklıkta yağmur yağar?
It often rains in İstanbul.	İstanbul'da sık sık yağmur yağar.
How often do you write letters to your friends?	Arkadaşlarınıza ne kadar sıklıkta mektup yazarsınız?
I rarely write letters to my friends but I often telephone.	Arkadaşlarıma nadiren mektup yazarım ancak sık sık telefon ederim.
How often do you see your relatives?	Akrabalarınızı ne kadar sıklıkta görürsünüz?
We see our relatives every week.	Akrabalarımızı her hafta görürüz.

How often does the little boy drink his medicine?
He drinks his medicine twice a day.
Mrs. Green's doctor comes here once a week.
The accountant sees the director three times a week.
I go to the factory once a month.
The new director travels to France and Italy once a year.

Once, twice, three times.. a day (week, month, year) ile geniş zaman kalıbı:

özne	fiil	diğer sözcükler	once, twice... (a day, month,..)
I	go	to the barber's	once a month.
You	come	here	twice a week.
He	drinks	tea	five times a day.
She	goes	to the hairdresser's	twice a month.
We	visit	our relatives	once a month.
They	go	to the theatre	four times a year.

UYGULAMA

Aşağıdaki cümleleri İngilizceye çeviriniz.

1. Bayan West haftada iki kere doktora gider.
2. Tom bu ilacı günde üç kere içer.
3. Kadın evi haftada iki kere temizler.
4. Ne kadar sıklıkta sinemaya gidersiniz?
5. Bay Brown ayda bir kere İngiltere'ye yolculuk yapar.
6. Anneme günde iki kere telefon ederim.
7. Ayda üç veya dört kere et yeriz.

Bu derste öğrendiğimiz sözcükler

sözcük	okunuşu	anlamı
how often	[hau ofın]	ne kadar sıklıkta, kaç defa
barber	[ba:bı]	berber
hairdresser	[heıdresı]	kuaför
every	[evri]	her
times	[taymz]	kere, defa
once	[wans]	bir kere, bir defa
twice	[tways]	iki kere, iki defa
to telephone	[tu telifoun]	telefon etmek
to clean	[tu kli:n]	temizlemek
to travel	[tu trevıl]	yolculuk etmek, seyahat etmek
medicine	[medsın]	ilaç
poor	[puı]	fakir, yoksul
rich	[riç]	zengin
director	[direktı]	müdür
to comb	[tu koum]	(saç) taramak

ders

OF

Kişi adı bildiren bir sözcük veya bir sözcük gurubu ile isim tamlaması yaparken isme -nın, -nin anlamını veren **'s** eklendiğini öğrenmiştik.

Peter's	Peter'in
Peter's notebook	Peter'in defteri
The doctor's	Doktorun
The doctor's car	Doktorun arabası
The teacher's books	Öğretmenin kitapları
My father's new jacket	Babamın yeni ceketi
Mrs. Taylor's brown hat	Bayan Taylor'un kahverengi şapkası
Tom's sister's blue coat	Tom'un kızkardeşinin mavi mantosu

Ayrıca çoğul isimlerle isim tamlaması oluştururken **'s** yerine yalnızca bir kesme işareti (') getirildiğini biliyoruz.

The girls'	Kızların
The teachers'	Öğretmenlerin
The girls' names	Kızların isimleri
The teachers' table	Öğretmenlerin masası
My sons'	Oğullarımın
My sons' factory	Oğullarımın fabrikası

Yine hatırlayacağınız gibi düzensiz durumda bulunan çoğullar (örneğin **policemen, children, women**) da yine **'s** ilavesi alıyordu.

The children's books	Çocukların kitapları
The policemen's car	Polislerin arabası

(OF) İLE ('S) İN KARŞILAŞTIRILMASI

Tamlayanı (birinci sözcüğü) hayvan veya cansız bir varlık olan isimlerle yapılan isim tamlamalarında ise **·'s** yerine **of** [ov] kullanılır. **Of** sözcüğü de -nın,

211

-nin anlamına gelir. Ancak 's ekinin kullanılış bakımından Türkçe'deki gibi oluşuna, yani ilk ismin (sahip olan ismin) sonuna eklenmesine karşın **of** (sahip olan) ismin önünde ve ayrı olarak yer alır.

of	-nın, -nin
of the room	odanın
of the house	evin
of the chair	sandalyenin
of the shop	dükkânın
of Turkey	Türkiye'nin
of England	İngiltere'nin
of İstanbul	İstanbul'un
of this street	bu caddenin
of the hospital	hastanenin

İkinci bir özellik de 's ile yapılan tamlamada isimlerin yerleri Türkçe'deki gibi olduğu halde, **of** ile yapılan tamlamada önce tamlanan, sonra tamlayanın getirilişidir.

of the room	odanın
the door of the room	odanın kapısı
of the house	evin
the key of the house	evin anahtarı
of the chair	sandalyenin
the colour of the chair	sandalyenin rengi
of the shop	dükkânın
the windows of the shop	dükkânın pencereleri
of Turkey	Türkiye'nin
the cities of Turkey	Türkiye'nin şehirleri
the north of Turkey	Türkiye'nin kuzeyi
the east of Turkey	Türkiye'nin doğusu
of England	İngiltere'nin
the south of England	İngiltere'nin güneyi
the parks of Antalya	Antalya'nın parkları
the doctors of this hospital	bu hastanenin doktorları
the workers of that factory	şu fabrikanın işçileri
the colour of Tom's tie	Tom'un kravatının rengi
the colour of Mr. West's new car	Bay West'in yeni arabasının rengi

Son iki örnekte de açıkça görüldüğü gibi **of** ile yapılan tamlamalarda isimlerin yeri 's ile yapılan tamlamalara göre tam ters durumdadır.

(Tom's) tie	(Tom'un) kravatı
the colour of (Tom's tie)	(Tom'un kravatının) rengi
(Mr. West's) new car	(Bay West'in) yeni arabası
the colour of (Mr. West's new car)	(Bay West'in yeni arabasının) rengi
(Mrs. Green's) house	(Bayan Green'in) evi
the key (of the house)	(evin) anahtarı
(the nurse's) bag	(hemşirenin) çantası
the colour (of the bag)	(çantanın) rengi

Türkçe'deki isim tamlamaları şekil yönünden İngilizce'de -'s ile yapılan gibidir. Türkçe'deki bir tamlamalı cümleyi İngilizceye çevirirken ilk ismin şahıs gösteren bir isim olup olmadığına bakılmalıdır. Şahıs gösteren bir isimse bunu 's kullanarak, değilse of kullanarak İngilizceye çevirmelidir.

Kapının anahtarı masanın üstünde. (of kullanılmalıdır) (cansız bir varlık)

The key of the door is on the table.

Mary'nin kitabı masanın üstünde. (-'s kullanılmalıdır) (şahıs)

Mary's book is on the table.

Bu hastanenin doktorları iyi. (of kullanılmalıdır) (cansız bir varlık)

The doctors of this hospital are good.

Bayan Taylor'un doktorları iyi. (-'s kullanılmalıdır) (şahıs)

Mrs. Taylor's doctors are good.

The windows of the shop are clean.	Dükkânın camları temizdir.
I haven't got the key of the door.	Kapının anahtarı bende değil.
The streets of Ankara are usually clean.	Ankara'nın caddeleri genellikle temizdir.
Ağrı is in the east of Turkey.	Ağrı Türkiye'nin doğusundadır.
Are the windows of the room open?	Odanın pencereleri açık mı?
Where is the key of the car?	Arabanın anahtarı nerede?
The walls of the shop are green.	Dükkânın duvarları yeşil.
I like the colour of your tie.	Kravatının rengini severim. (beğendim)

THE KEY	OF THE DOOR	IS NOT	HERE.

Aşağıdaki 's ile of farkını belirten karşılaştırmalı örneklere dikkat ediniz.

This is Tom's back.
[dis iz tomz bek]
Bu Tom'un sırtıdır.

This is the back of the chair.
[dis iz dı bek ov dı çeı]
Bu sandalyenin arkasıdır. (sırtıdır.)

Mary's legs are dirty.
[meıriz legz a: dö:ti]
Mary'nin bacakları kirlidir.

The legs of the table are dirty.
[dı legz ov dı teybıl a: dö:ti]
Masanın ayakları (bacakları)
kirlidir.

This is Susan's face.
[dis iz su:zınz feys]
Bu Susan'ın yüzüdür.

This is the face of the clock.
[dis iz dı feys ov dı klok]
Bu saatin yüzüdür. (kadranıdır)

CÜMLELER

Do you like the colour of Tom's new jacket?
Tom'un yeni ceketinin rengini sevdin mi? (beğendin mi?)

He is opening the windows of the house.
Evin pencerelerini açıyor.

The teachers of that school are here.
Şu okulun öğretmenleri burada.

He is opening the door of the post office.

Postanenin kapısını açıyor.

The bathroom of this house is not big.

Bu evin banyosu büyük değil.

The doors of the cinema are not open.

Sinemanın kapıları açık değil.

The flowers of the garden are beautiful.

Bahçenin çiçekleri güzeldir.

The woman is cleaning the windows of her house.
Does she clean the windows of her house every day?
New York is in the east of the U.S.A.
Mr. Black is washing the doors of his car.
Are the doors of the theatre open?

-'s ile tamlama kalıbı

şahıs gösteren isim (tamlayan)	-'s	ikinci isim (tamlanan)
Mary	-'s	house
the doctor	-'s	car
my father	-'s	tie
Mrs. Taylor	-'s	garden

of ile tamlama kalıbı

ikinci isim (tamlanan)	of	birinci isim (hayvan veya cansız) (tamlayan)
the keys	of	the house
the colour	of	the car
the door	of	the shop
the flowers	of	the garden

UYGULAMA

Bu cümleleri İngilizceye çeviriniz.

1. Susan'ın yeni bluzünü beğendin mi?
2. Susan'ın yeni bluzünün rengini beğendin mi?
3. Fabrikanın kantini büyüktür.
4. Odanın duvarları ne renk?
5. Kadın evinin banyosunu temizliyor.
6. Evin banyosu küçük.
7. Bay West'in dükkânı sağ taraftadır.

Bu derste öğrendiğimiz sözcükler

sözcük	okunuşu	anlamı
of	[ov]	-nin, nın
back	[bek]	sırt, arka

GÜNLÜK KONUŞMALAR

DIALOGUE 1
AT THE GREENGROCER'S [MANAVDA]

Greengrocer:	**Can I help you?** [ken ay help yu:]	Size yardım edebilir miyim?
Customer:	**Yes. I'd like a kilo of tomatoes.** [yes ayd layk ı ki:lou ov tıma:touz]	Evet. Bir kilo doma-tes rica ediyorum.
Greengrocer:	**Anything else?** [eniting els]	Başka bir şey?
Customer:	**Yes. And two kilos of oranges, please.** [yes end tu: ki:louz ov orinciz pli:z]	Evet. İki kilo da portakal lütfen.
Greengrocer:	**Is that all?** [iz det o:l]	Hepsi bu kadar mı?

217

Customer:	No. And I'd like a lemon.	Hayır. Bir de limon
	[nou end ayd layk ı lemın]	rica ediyorum.

Greengrocer:	That's two pounds altogether. Thank you.	Hepsi dört paund. Teşekkür ederim.
	[dets tu: paundz o:ltıgedı tenk yu:]	

DIALOGUE 2

AT THE BOOKSHOP [KİTAP EVİ'NDE]

Shop assistant:	Good morning. Can I help you?	Günaydın. Size yardımcı
	[gud mo:ning ken ay help yu:]	olabilir miyim?

Customer:	Yes. I am looking for a good English-Turkish dictionary.	Evet. İyi bir İngilizce-Türkçe sözlük
	[yes ay em luking fo:rı gud ingliş tö:kiş dikşınri]	arıyorum.

Shop assistant:	This is a very good dictionary.	Bu çok iyi bir
	[dis iz ı very gud dikşınri]	sözlüktür.

Customer:	How much is it?	Ne kadar?
	[hau maç iz it]	

Shop assistant:	Ten pounds.	On paund.
	[ten paundz]	

218

Customer:	**Please, wrap it up.** [pli:z rep it ap]	Lütfen, sarın.
Shop assistant:	**Certainly. Thank you very much.** [sö:tınli tenk yu veri maç]	Tabii. Çok te- şekkür ederim.
Customer:	**Goodbye.** [gudbay]	Allahaısmarladık.
Shop assistant:	**Goodbye.** [gudbay]	Güle güle.

DIALOGUE 3

AT THE BUTCHER'S [KASAPTA]

Butcher:	**Good morning.** [gud mo:ning]	Günaydın.
Customer:	**Good morning. I'd like half a kilo** **of mince.** [gu:d mo:ning ayd layk ha:f ı ki:lou ov mins]	Günaydın. Yarım kilo kıyma rica ediyorum.
Butcher:	**Certainly. Anything else?** [sö:tınli eniting els]	Tabii. Başka bir şey?
Customer:	**Yes. And a chicken.** [yes end ı çikin]	Evet. Ve bir tavuk.
Butcher:	**Sorry. There's no chicken today.** [sori deız nou çikin tıdey]	Özür dilerim. Bugün tavuk yok.

Customer:	**Allright. How much is the mince?** [o:lrayt hau maç iz dı mins]	Pekâlâ. Kıyma ne kadar?
Butcher:	**Four pounds. Thank you.** [fo: paundz tenk yu]	Dört paund. Teşekkür ederim.
Customer:	**Goodbye.** [gudbay]	Allahaısmarladık.
Butcher:	**Goodbye.** [gudbay]	Güle güle.

DIALOGUE 4

AT THE CHEMIST'S [ECZANE'DE]

Customer:	**I'd like a tube of toothpaste.** [ayd layk ı tyu:b ov tu:tpeyst]	Bir tüp diş macunu rica ediyorum.
Shop assistant:	**Here you are. Anything else?** [hiı yu a: eniting els]	Buyrun. Başka bir şey?
Customer:	**Yes. And a packet of aspirins.** [yes end ı pekit ov esprinz]	Evet. Bir paket de aspirin.

220

Shop assistant:	Is that all? [iz det o:l]	Hepsi bu kadar mı?
Customer:	Yes. How much is all that? [yes hau maç iz o:l det]	Evet. Hepsi ne kadar?
Shop assistant:	Three pounds miss. [tri: paundz mis]	Üç paund bayan.
Customer:	Here... five pounds. [hıı fayv paundz]	Buyrun.. beş paund.
Shop assistant:	Here's your change.. two pounds. [hıız yo: çeync tu: paundz]	Buyrun paranızın üstü.. üç paund.
Customer:	Thank you very much. Goodbye. [tenk yu: veri maç gudbay]	Çok teşekkür ederim. Allahaısmarladık.
Shop assistant:	Goodbye. [gudbay]	Gülegüle.

Günlük konuşmaların bu bölümünde alışveriş sırasında kullanılan temel cümle yapılarını ve bazı önemli deyişleri öğreniyoruz.

Bu yapılardan biri **"I'd like"** [ayd layk] dır. **"I'd like"**, **"I would like"** kalıbının kısaltılmış biçimi olup "rica ediyorum, arzu ediyorum, rica edecektim" anlamlarını taşır. Alışveriş sırasında satın alınacak şey nazik bir biçimde **"I'd like"** sözcükleriyle başlayan cümle kalıbı ile istenir.

I'd like	..... rica ediyorum, rica edecektim.
I'd like a dictionary.	Bir sözlük rica ediyorum.
I'd like a lemon.	Bir limon rica ediyorum.
I'd like a blue shirt.	Mavi bir gömlek rica ediyorum.
I'd like a black and white tie.	Siyah beyaz bir kravat rica ediyorum.
I'd like a packet of cigarettes.	Bir paket sigara rica ediyorum.
I'd like some eggs.	Birkaç yumurta rica ediyorum.
I'd like some butter.	Biraz tereyağı rica ediyorum.
I'd like half a kilo of butter.	Yarım kilo tereyağı rica ediyorum.
I'd like a kilo of cheese.	Bir kilo peynir rica ediyorum.
I'd like two loaves of bread.	İki somun ekmek rica ediyorum.
I'd like four kilos of apples.	Dört kilo elma rica ediyorum.
I'd like a jar of jam.	Bir kavanoz reçel rica ediyorum.
I'd like two packets of cigarettes.	İki paket sigara rica ediyorum.

Alışveriş sırasında kullanılan önemli bir ifade de **"I'm looking for"** [aym luking fo:] ifadesidir. **"To look for"** [tu luk fo:] "aramak" anlamına gelir. Aranılan bir şey bu ifade ile sorulabilir.

I'm looking for.....	...... arıyorum.
I'm looking for a red skirt.	Kırmızı bir etek arıyorum.
I'm looking for a brown jacket.	Kahverengi bir ceket arıyorum.
I'm looking for a dictionary.	Bir sözlük arıyorum.
I'm looking for a white blouse.	Beyaz bir bluz arıyorum.
I'm looking for gloves.	Eldiven arıyorum.
I'm looking for a black umbrella.	Siyah bir şemsiye arıyorum.

Tezgahtarların müşterileri karşılarken kullandıkları cümle kalıbına da dikkat ediniz.

Can I help you?   Size yardım edebilir miyim? (Size yardımcı olabilir miyim?)

"Can I help you?" deyişi müşteri karşılarken "buyrun" anlamında da kullanılabilir. Ancak müşteriye bir malı uzatırken kullanılan "buyrun" deyişinin İngilizcedeki karşılığı **"here you are"** [hıı yu a:] dır.

Bu derste öğrendiğimiz sözcükler

sözcük	okunuşu	anlamı
altogether	[oltıgedı]	hepsi birlikte
to look for	[tu luk fo:]	aramak
I'd like..	[ayd layk]	.. rica ediyorum
		.. rica edecektim
to wrap	[tu rep]	sarmak
to wrap up	[tu rep ap]	sarıp paketlemek
mince	[mins]	kıyma
toothpaste	[tu:tpeyst]	diş macunu
a tube of toothpaste	[ı tyu:b ov tu:tpeyst]	bir paket diş macunu
aspirin	[esprin]	aspirin
change	[çeync]	paranın üstü
Anything else?	[eniting els]	Başka bir şey?
Is that all?	[iz det o:l]	Hepsi bu kadar mı?
all right	[o:l rayt]	pekâlâ

ders 26

HAVA DURUMUNU SORMAK, BİLDİRMEK
WHAT'S THE WEATHER LIKE?

İngilizce'de hava durumunu sormak için "Hava nasıl?" anlamına gelen **What's the weather like?** [wots dı wedı layk] soru cümlesi kullanılır. **Weather** [wedı] sözcüğü iklim anlamında "hava" demektir. Bu soru cümlesindeki **like** sözcüğünün "sevmek" anlamına gelen **like** ile hiçbir bağlantısı yoktur. Bu soru cümlesindeki sözcüklerin ayrı ayrı anlamlarını düşünmeden hepsini birden tek bir ifade olarak kabul ediniz.

Bu soruya verilen cevaplarda cümle **weather** sözcüğü yerine genellikle **it** sözcüğü ile başlar.

What's the weather like?	Hava nasıl?
It's snowing.	Kar yağıyor.
What's the weather like today?	Bugün hava nasıl?
It's raining.	Yağmur yağıyor.

WHAT'S	THE WEATHER	LIKE ?

What's the weather like? [wots dı wedı layk] Hava nasıl?		**It's hot.** [its hot] (Hava) Sıcak.
What's the weather like this morning? [wots dı wedı layk dis mo:ning] Bu sabah hava nasıl?		**It's cold.** [its kould] (Hava) Soğuk.

223

What's the weather like this afternoon?

Bu öğleden sonra hava nasıl?

It's warm.
[its wo:m]
(Hava) Ilık.

What's the weather like in Istanbul?

İstanbul'da hava nasıl?

It's cool.
[its ku:l]
(Hava) Serin.

What's the weather like in New York?

New York'ta hava nasıl?

It's sunny.
[its sani]
(Hava) Güneşli.

What's the weather like in İzmir?

İzmir'de hava nasıl?

It's rainy.
[its reyni]
(Hava) Yağmurlu:

What's the weather like in Erzurum?

Erzurum'da hava nasıl?

It's snowy.
[its snoui]
(Hava) Karlı.

What's the weather like in London?

It's foggy.
[its fogi]
(Hava) Sisli.

What's the weather like in Samsun?		It's windy. [its windi] (Hava) Rüzgarlı.
What's the weather like in Antalya?		It's cloudy. [its klaudi] (Hava) Bulutlu.

IT'S	SUNNY.		IT'S	CLOUDY.		IT'S	RAINY.

CÜMLELER

What's the weather like in your city?	Şehrinizde hava nasıl?
It's raining.	Yağmur yağıyor.
What's the weather like in Ağrı?	Ağrı'da hava nasıl?
It's very cold. It's snowing.	(Hava) Çok soğuk. Kar yağıyor.
What's the weather like in Mersin?	Mersin'de hava nasıl?
It's very hot.	(Hava) Çok sicak.
What's the weather like in the west of Turkey?	Türkiye'nin batısında hava nasıl?
It's cloudy and cool.	Bulutlu ve serin.
Is it raining in Eskişehir?	Eskişehir'de yağmur yağıyor mu?
No, but it's cold.	Hayır ama (hava) soğuk.
Is it snowing in Sivas?	Sivas'ta kar yağıyor mu?
No, but it's very cold.	Hayır ama (hava) çok soğuk.

Hava durumunu sormak ve hava durumunu bildirmek için kullanılan cümle kalıpları:

	It's	hava durum sözcüğü
	It's	sunny.
	It's	rainy.
	It's	cloudy
What's the weather like?	It's	foggy.
	It's	snowy.
	It's	raining.
	It's	snowing.

UYGULAMA

Aşağıdaki resimlere bakınız ve sorulara resimlerin altında verilmiş olan söz-cüklerden birini kullanarak cevap veriniz.

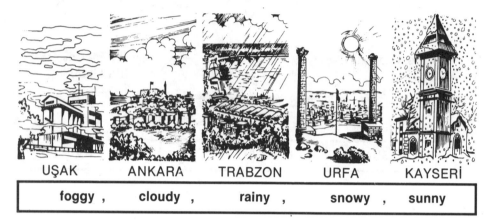

| UŞAK | ANKARA | TRABZON | URFA | KAYSERİ |

foggy , cloudy , rainy , snowy , sunny

1. **What's the weather like in Ankara?** ....
2. **What's the weather like in Uşak?** ....
3. **What's the weather like in Kayseri?** ....
4. **What's the weather like in Urfa?** ....
5. **What's the weather like in Trabzon?** ....

Bu derste öğrendiğimiz sözcükler

sözcük	okunuşu	anlamı
weather	[wedı]	hava (iklim anlamında)
hot	[hot]	sıcak
cold	[kould]	soğuk
warm	[wo:m]	ılık
cool	[ku:l]	serin
sunny	[sani]	güneşli
rainy	[reyni]	yağmurlu
snowy	[snoui]	karlı
foggy	[fogi]	sisli
windy	[windi]	rüzgârlı
cloudy	[klaudi]	bulutlu

ders

ŞAHIS ZAMİRLERİNİN ·İ ve ·E HALLERİ

Şahıs zamirlerini kitabımızın birinci cildinin 17.nci dersinde öğrenmiş ve şimdiye kadar olan derslerimizin çok çeşitli cümle yapılarında, ayrıca şimdiki zaman ve geniş zaman cümlelerinde ne şekilde kullanıldıklarını ayrıntılı bir biçimde görmüştük.

Bu dersimizde şahıs zamirlerinin -i ve -e hallerini öğreneceğiz. Aşağıda şahıs zamirlerini ve bunların -i ve -e hallerini karşılaştırmalı bir tablo halinde görüyorsunuz.

şahıs zamiri		-i ve -e hali	
I	ben	**me** [mi:]	beni, bana
you	sen	**you** [yu:]	seni, sana
he	o	**him** [him]	onu, ona
she	o	**her** [hö:]	onu, ona
it	o	**it** [it]	onu, ona
we	biz	**us** [as]	bizi, bize
you	siz	**you** [yu:]	sizi, size
they	onlar	**them** [dem]	onları, onlara

Dikkat ettiğiniz gibi **you** sözcüğü hem "sen, siz" hem de "seni, sana, sizi, size" anlamına gelmektedir. **it** için de durum aynıdır.

Ayrıca **she** zamirinin -i ve -e hali olan **her** sözcüğünün aynı zamanda "onun" anlamına geldiğini de biliyoruz.

Aynı sözcük değişik anlamlar verdiğine göre bir cümlede bu anlamlardan hangisini verdiği nasıl anlaşılacaktır? Şimdiye kadar olan derslerimizden şahıs zamirlerinin özne olarak cümle başında yer aldığını biliyoruz. Şahıs zamirlerinin -i ve -e halleri (**me, you, him, her, it, us, you, them**) ise cümlenin fiilinden sonra gelir. Şahıs zamirleri ile -i ve -e halleri aynı olan **you** ve **it** sözcüklerinin hangi anlamda olduğunu anlamak için de aynı kuraldan yararlanılmalıdır.

me		beni, bana
to like		sevmek
You like.		Sen seversin.
You like me.		Sen beni seversin.

you	seni, sana
I like you.	Ben seni severim.

him	onu, ona
I like Tom.	Ben Tom'u severim.
I like him.	Ben onu severim.

her	onu, ona
Tom likes Mrs. Green.	Tom Bayan Green'i sever.
He likes her.	Onu sever.

it	onu, ona
I like your cat.	Senin kedini severim.
I like it.	Onu severim.

us	bizi, bize
Mr. and Mrs. West li'e us.	Bay ve Bayan West bizi sever.

them	onları, onlara
We like Mr. and Mrs. West.	Biz Bay ve Bayan West'i severiz.
We like them.	Onları severiz.

I	LIKE	HIM.

SHE	LIKES	ME.

THEY	LIKE	US.

Show me your photograph.
[şou mi yo: foutıgra:f]
Bana fotoğrafını göster.

Bring her a cup of coffee.
[bring hö:r ı kap ov kofi]
Ona bir fincan kahve getir.

Tell us a story.
[tel as ı stori]
Bize bir hikâye anlat.

Give them these books.
[giv dem di:z buks]
Onlara bu kitapları ver.

Send her these flowers.
[send hö: di:z flauız]
Ona bu çiçekleri gönder.

Please telephone him.
[pli:z telifoun him]
Lütfen ona telefon et.

The waiter is bringing us some tea.
[dı weytır iz bringing as sam ti:]
Garson bize biraz çay getiriyor.

He is showing me his photograph.
[hi: iz şouing mi hiz foutıgra:f]
Bana fotoğrafını gösteriyor.

They always send us flowers.
[dey o:lweyz send as flauız]
Bize daima çiçek gönderirler.

He sometimes telephones me.
[hi: samtaymz telifounz mi:]
Bazen bana telefon eder.

Show me your new car.	Bana yeni arabanı göster.
Show me the new books.	Bana yeni kitapları göster.
Show them your new jacket.	Onlara yeni ceketini göster.
Show us your blue and green coat.	Bize mavi yeşil paltonu göster.
Please bring us a glass of milk and two cups of coffee.	Lütfen bize bir bardak süt ve iki fincan kahve getirin.
Bring me your new dictionary.	Bana yeni sözlüğünü getir.
Bring her some flowers from the garden.	Ona bahçeden birkaç tane çiçek getir.
Don't bring them here.	Onları buraya getirme.

Tell me a story.	Bana bir hikâye anlat.
Tell her a story.	Ona bir hikâye anlat.
Tell us a story.	Bize bir hikâye anlat.
Tell them a story.	Onlara bir hikâye anlat.
Don't tell me this story.	Bana bu hikâyeyi anlatma.
Please don't tell them.	Lütfen onlara anlatma.
Please don't tell my mother.	Lütfen anneme anlatma.
Please don't tell her.	Lütfen ona anlatma.

Give me a cup of tea please.	Bana bir fincan çay verin lütfen.
Give her my old books.	Ona benim eski kitaplarımı verin.
Give me your hat.	Bana şapkanı ver.
Give me my umbrella.	Bana şemsiyemi ver.
Give me those flowers please.	Bana şu çiçekleri verin lütfen.
Give them these letters.	Onlara bu mektupları verin.

She always brings me a box of chocolates.	Bana daima bir kutu çikolata getirir.
Mary's mother always gives me a lot of money.	Mary'nin annesi bana daima çok para verir.
He gives him a little money.	Ona daima az para verir.
He sometimes shows them his old photographs.	Onlara bazen eski fotoğraflarını gösterir.
Do you always bring her flowers?	Ona daima çiçek mi getirirsin?
Do you often bring her flowers?	Ona sık sık çiçek mi getirirsin?
Do you always give him a lot of money?	Ona daima çok para mı verirsin?

He is showing them his new car.	Onlara yeni arabasını gösteriyor.
He is giving us his old books.	Bize yeni kitaplarını veriyor.
The man is showing us our room.	Adam bize odamızı gösteriyor.
They are bringing us the key.	Bize anahtarı getiriyorlar.
She is sending her a letter.	Ona bir mektup gönderiyor.

Şahıs zamirleri, mülkiyet sıfatları ve şahıs zamirlerinin -i ve -e hallerini birlikte karşılaştırmalı bir tablo halinde inceleyelim.

şahıs zamiri		mülkiyet sıfatı		-i ve -e hali	
I	ben	my	benim	me	beni, bana
you	sen	your	senin	you	seni, sana
he	o	his	onun	him	onu
she	o	her	onun	her	onu, ona
it	o	its	onun	it	onu
we	biz	our	bizim	us	bizi
you	siz	your	sizin	you	sizi, size
they	onlar	their	onların	them	onları, onlara

I like flowers.
My father likes animals.
My father and my mother like me.

(Ben) Çiçekleri severim.
(Benim) Babam hayvanları sever.
Babam ve annem beni severler.

You don't like tea.
Your father doesn't like milk.
They don't like you.

(Sen) Çay sevmezsin.
(Senin) Baban süt sevmez.
Onlar seni sevmezler.

He is the new doctor.
His car is in front of the hospital.

O yeni doktordur.
(Onun) arabası hastanenin önündedir.

We are helping him.

Biz ona yardım ediyoruz.

She is our new secretary.
Her name is Betty.
We like her.

O bizim yeni sekreterimizdir.
(Onun) İsmi Betty'dir.
Onu severiz.

It is a beautiful dog.
Its name is Çomar.
The children like it.

O çok güzel bir köpektir.
(Onun) İsmi Çomar'dır.
Çocuklar onu sever.

It is a big house.
Its rooms are big.
We are buying it.

O büyük bir evdir.
(Onun) odaları büyüktür.
Biz onu satın alıyoruz.

We are David's friends.	Biz David'in arkadaşlarıyız.
Our house is near the park.	(Bizim) evimiz parkın yanındadır.
David likes us.	David bizi sever.
You are good lawyers.	Siz iyi avukatlarsınız.
Your office is behind the post office.	(Sizin) büronuz postanenin yanındadır.
We are showing you the photographs.	Fotoğrafları size gösteriyoruz.
They are here.	Onlar burada.
Their names are John and Tom.	(Onların) Adları John ve Tom'dur.
We don't like them.	Onları sevmeyiz.

UYGULAMA

A- Aşağıda parantez içinde verilmiş olan sözcüklerden uygun olanını seçiniz.

1. (He, him, his) father is coming here.
2. (We, our, us) like flowers.
3. Please show (we, our, us) the new books.
4. The man is bringing (their, they, them) two cups of coffee.
5. (They, them, their) mother always tells (they, their, them) stories.
6. (She, her) is giving (I, my, me) the dictionary.
7. (I, my, me) don't like (their, them, they).

B- Aşağıdaki cümleleri İngilizceye çeviriniz.

1. Saat dörtte lütfen bana telefon et.
2. Onlara yeni bir araba gönderiyorum.
3. Bana şu gömleği gösterin, lütfen.
4. Onlar bizi severler.
5. Siz onları sever misiniz?
6. Bize lütfen iki fincan kahve getirin.
7. Lütfen bunu onlara anlat.

Bu derste öğrendiğimiz sözcükler

sözcük	okunuşu	anlamı
me	[mi:]	beni, bana
you	[yu:]	seni, sana
him	[him]	onu, ona
her	[hö:]	onu, ona
it	[it]	onu, ona
us	[as]	bizi, bize
them	[dem]	onları, onlara
to show	[tu şou]	göstermek
photograph	[foutıgra:f]	fotoğraf
to bring	[tu bring]	getirmek
to tell	[tu tel]	anlatmak
story	[stori]	hikâye
to give	[tu giv]	vermek
to send	[tu send]	göndermek
waiter	[weytı]	garson

ders 28

WHAT KIND OF .... ?

What kind of ......? [wot kaynd ov] "Ne çeşit ....?, Ne tür ....?" anlamında olan ve bir şeyin ne tür, ne cins bir şey olduğunu öğrenmek için sorulacak soru cümlelerinde yer alan sözcük grubudur.

What kind of.........	Ne çeşit ...., Ne tür ...
What kind of books	Ne çeşit kitaplar, ne tür kitaplar
What kind of films	Ne tür filmler
What kind of music	Ne tür müzik

What kind of books do you read?	Ne tür kitaplar okursunuz?
What kind of films do you like?	Ne tür filmleri seversiniz?
What kind of music do you listen?	Ne tür müzik dinlersiniz?

What kind of books does he buy?	Ne tür kitaplar satın alır?
What kind of films does she enjoy?	Ne tür filmlerden hoşlanır?
What kind of music do they like?	Ne tür müzik severler?

WHAT KIND OF BOOKS	DO	YOU	READ?

WHAT KIND OF FILMS	DOES	HE	LIKE?

What kind of books do you read?
[wot kaynd ov buks du yu ri:d]
Ne tür kitaplar okursunuz?

I read science fiction books.
[ay ri:d sayıns fikşın buks]
Bilim kurgu kitapları okurum.

What kind of books do you like?
[wot kaynd ov buks du: yu: layk]
Ne tür kitapları
seversiniz?

I like adventure novels.
[ay layk ıdvençı novılz]
Macera romanlarını
severim.

What kind of books does your father read?
[wot kaynd ov buks daz yo: fa:dı ri:d]
Babanız ne tür kitaplar
okur?

He reads classical novels.
[hi: ri:dz klesikıl novılz]
Klasik romanlar okur.

What kind of books does she enjoy?
[wot kaynd ov buks daz şi: incoy]
Ne tür kitaplardan
hoşlanır?

She enjoys poems.
[şi: incoyz pouimz]
Şiir(ler)den hoşlanır.

What kind of films do you like?
[wot kaynd ov filmz du: yu:layk]
Ne tür filmleri
seversin?

I like war films.
[ay layk wo: filmz]
Savaş filmlerini severim.

What kind of films does Betty enjoy?
[wot kaynd ov filmz daz beti incoy]
Betty ne tür filmlerden
hoşlanır?

She enjoys comedies.
[şi: incoyz komıdiz]
Güldürülerden (komedi
filmlerinden) hoşlanır.

What kind of films does Tom like?
[wot kaynd ov filmz daz tom layk]
Tom ne tür filmleri
sever?

He likes romantic films.
[hi: layks roumentik filmz]
Romantik filmleri sever.

What kind of music do you like?
[wot kaynd ov myu:zik du: yu: layk]
Ne tür müzik seversin?

I like pop music.
[ay layk pop myu:zik]
Pop müzik severim.

What kind of music does your father like?
[wot kaynd ov myu:zik daz yo: fa:dı layk]
Babanız ne tür müzik sever?

He likes Turkish folk music.
[hi: layks tö:kiş fouk myu:zik]
Türk halk müziği sever.

What kind of music does your brother enjoy?
[wot kaynd ov myu:zik daz yo: bradır incoy]
Erkek kardeşiniz ne tür müzikten hoşlanır?

He enjoys classical Turkish music.
[hi: incoyz klesikıl tö:kiş myu:zik]
Klasik Türk müziğinden hoşlanır.

What kind of salad do you want?
[wot kaynd ov selıd du: yu:wont]
Ne çeşit salata istersiniz?

I want a green salad.
[ay wont ı gri:n selıd]
Bir yeşil salata isterim.

What kind of food does he like?
[wot kaynd ov fu:d daz hi: layk]
Ne tür yiyecekleri sever?

He likes vegatables and meat.
[hi: layks vectıbılz end mi:t]
Sebze ve et sever.

What kind of books does your brother read?
[wot kaynd ov buks daz yo: bradı ri:d]
Erkek kardeşin ne tür kitaplar okur?

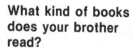

He reads technical books.
[hi: ri:dz teknikıl buks]
Teknik kitaplar okur.

CÜMLELER

What kind of films do you like? — Ne tür filmleri seversin?

I like comedies but I don't like war films. — Komedileri severim ama savaş filmlerini sevmem.

What kind of books does your sister read? — Kızkardeşiniz ne tür kitaplar okur?

She usually reads technical books but she sometimes reads poems. — Genellikle teknik kitaplar okur ancak bazen şiir okur.

What kind of food do you like? — Ne tür yiyecekler seversin?

I like fish and meat. — Balık ve et severim.

What kind of food does Mrs. West like? — Mrs. West ne tür yiyecekler sever?

She likes chocolate. — Çikolata sever.

What kind of films do your children enjoy? — Çocuklarınız ne tür filmlerden hoşlanır?

They enjoy comedies and science fiction films. — Komedi filmleri ve bilim kurgu filmlerinden hoşlanırlar.

What kind of books do you usually buy? — Genellikle ne tür kitapları satın alırsınız?

I usually buy novels. — Genellikle roman satın alırım.

What kind of music does Mr. Black often listen to? — Bay Black sık sık ne tür müzik dinler?

He often listens to classical music. — Sık sık klasik müzik dinler.

What kind of music do Mr. Black's daughters like? — Bay Black'in kızları ne tür müzik severler?

They like pop music. — Onlar pop müzik severler.

What kind of films do you usually see?
What kind of music do the boys enjoy?
What kind of books do your friends read?
What kind of food does your son like?
What kind of salad does he want?
What kind of food do you usually buy?
What kind of music do you usually listen to in the evenings?
What kind of food do you usually eat on Sundays?
What kind of salad does Mrs. Madelin want?
What kind of books do your children enjoy?
What kind of films do you see at the weekends?

What kind of .... ile başlayan geniş zaman cümle kalıbı:

What kind of	isim	do veya does	özne	fiil
What kind of	music	do	you	like?
What kind of	films	does	he	enjoy?
What kind of	books	do	they	read?
What kind of	food	does	she	want?
What kind of	salad	do	you	want?

UYGULAMA

Aşağıdaki cümleleri İngilizceye çeviriniz.

1. Ne tür filmlerden hoşlanırsınız?
2. Oğlunuz macera filmleri sever mi?
3. Ben komedilerden hoşlanırım ancak savaş filmlerini sevmem.
4. Jane ne tür kitapları sever?
5. Şiir okur musunuz?
6. Ne tür müzik dinlersiniz?
7. Bayan Green klasik müzik dinler ve pop müzikten hoşlanmaz.

WHAT'S YOUR FAVOURITE .... ? WHO'S YOUR FAVOURITE .... ?

Karşımızda bulunan kişi veya kişilerin en beğendikleri yemek, en sevdikleri sporcu, takım, sanatçı, şarkıcı, en hoşlandıkları oyun, spor dalı, en sevdiği renk ve bunlara benzer konuları öğrenmek için İngilizce'de **"What's your favourite** ....?" [wots yo: feyvrit] "En beğendiğiniz .... ne?" veya **"Who's your favourite** .... ?" [hu:z yo: feyvrit] "En beğendiğiniz .... kim?" soru cümleleri kullanılır.

Yiyecek, içecek, spor dalı, tatil yeri cinsinden cansız bir konu için **What** ile başlayan soru cümlesi kullanılır.

What's your favourite ....?	En beğendiğiniz .... ne?
What's your favourite food?	En beğendiğiniz yiyecek ne?
What's your favourite drink?	En beğendiğiniz içecek ne? (En çok sevdiğiniz içecek ne?)

WHAT'S	YOUR	FAVOURITE	FOOD?

What's your favourite fruit?
[wots yo: feyvrit fru:t]
En (çok) sevdiğiniz meyve ne?

I like apples very much.
[ay layk epılz veri maç]
Elmayı çok severim.

What's your favourite meal?
[wots yo: feyvrit mi:l]
En beğendiğiniz yemek ne?

I like meatballs.
[ay layk mi:tbo:lz]
Köfte severim.

What's your favourite team?
[wots yo: feyvrit ti:m]
En beğendiğiniz takım ne?

My favourite team is Manchester United.
[may feyvrit ti:m iz mençıstı yu:naytid]
En beğendiğim takım Manchester United'dir.

What's your favourite sport?
[wots yo: feyvrit spo:t]
En beğendiğiniz spor nedir?

I like football very much.
[ay layk futbo:l veri maç]
Futbolu çok severim.

What's your favourite drink?
[wots yo: feyvrit drink]
En çok sevdiğiniz içecek ne?

I like fruit juice.
[ay layk fru:t cu:s]
Meyva suyu severim.

What's your favourite holiday place?
[wots yo: feyvrit holıdi pleys]
En beğendiğiniz tatil yeri ne?

My favourite holiday place is Bodrum.
[may feyvrit holıdi pleys iz bodrum]
En beğendiğim tatil yeri Bodrum'dur.

What's your favourite colour?
[wots yo: feyvrit kalı]
En beğendiğiniz renk ne?

I like black.
[ay layk blek]
Siyahı severim.

CÜMLELER

What's your father's favourite drink?	Babanızın en çok sevdiği içecek ne?
He likes Turkish coffee.	Türk kahvesi sever.
What's Mr. West's favourite holiday place?	Bay West'in en çok sevdiği tatil yeri ne?
His favourite holiday place is New York.	En sevdiği tatil yeri New York'tur.
What's your favourite team in Turkey?	Türkiye'de en sevdiğiniz takım ne?
I like Beşiktaş.	Beşiktaş'ı severim.
What's your father's favourite team?	Babanızın en sevdiği takım ne?
His favourite team is Galatasaray.	Onun en sevdiği takım Galatasaray'dır.
What's your brother's favourite team?	Erkek kardeşinizin en sevdiği takım ne?
He likes Fenerbahçe very much.	Fenerbahçe'yi çok sever.
What's your favourite food?	En sevdiğiniz yiyecek ne?
I like chocolates.	Çikolata severim.

What's your mother's favourite food?
What's your father's favourite sport?
What's your sister's favourite colour?
What's your brother's favourite meal?

What's your favourite .... ? cümle kalıbı

What's	your	favourite	diğer sözcükler
What's	your	favourite	colour? food? drink? meal? sport? team? holiday place?

Kişilerin beğendiği sporcu, sanatçı, şarkıcı, futbolcu, yazar ve diğer meslek dalları için **Who's your favourite..........?** soru cümlesi kullanılır.

Who's your favourite ....?	En sevdiğiniz (beğendiğiniz) .... kim?
Who's your favourite teacher?	En sevdiğiniz öğretmen kim?

Who's your favourite actor?
[hu:z yo: feyvrit ektı]
En çok sevdiğiniz aktör (erkek sinema oyuncusu) kim?

My favourite actor is Robert Redford.
[may feyvrit ektır iz robıt redfıd]
En çok sevdiğim aktör Robert Redford'dur.

Who's your favourite actress?
[hu:z yo: feyvrit ektris]
En çok sevdiğiniz akrist (bayan sinema oyuncusu) kim?

My favourite actress is Jane Fonda.
[may feyvrit ektris iz ceyn fondı]
En çok sevdiğim bayan sinema oyuncusu Jane Fonda'dır.

Who's your favourite author?
[hu:z yo: feyvrit o:tı]
En beğendiğiniz yazar kimdir?

I like Goethe.
[ay layk gö:tı]
Göte'yi severim.

Who's your favourite poet?
[hu:z yo: feyvrit pouit]
En beğendiğiniz şair kim?

I like Orhan Veli.
[ay layk orhan veli]
Orhan Veli'yi severim.

Who's your favourite sportsman?
[hu:z yo: feyvrit spo:tsmın]
En beğendiğiniz sporcu kimdir?

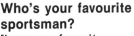

I like Maradona.
[ay layk merıdounı]
Maradona'yı severim.

Who's your favourite singer?
[hu:z yo: feyvrit singı]
En beğendiğiniz şarkıcı kimdir?

My favourite singers are Zeki Müren and Muazzez Abacı.
[may feyvrit singız a: zeki müren end muazzez abacı]
En beğendiğim şarkıcılar Zeki Müren ve Muazzez Abacı'dır.

Who's your favourite.......... ? ile başlayan cümle kalıbı

Who's	your	favourite	diğer sözcükler
Who's	your	favourite	actor? singer? sportsman? actress? poet? author?

Bu derste öğrendiğimiz sözcükler

sözcük	okunuşu	anlamı
favourite	[feyvrit]	en çok sevilen, en beğenilen
science-fiction	[sayıns fikşın]	bilim-kurgu
novel	[novıl]	roman
adventure	[ıdvençı]	macera
classical	[klesikıl]	klasik
poem	[pouim]	şiir
war	[wo:]	savaş
comedy	[komıdi]	komedi, güldürü
romantic	[rımentik]	romantik,
pop music	[pop myu:zik]	pop müziği
folk music	[fouk myu:zik]	halk müziği
vegetable	[vectıbıl]	sebze
fruit	[fru:t]	meyva
technical	[teknikıl]	teknik
food	[fu:d]	yiyecek
meal	[mi:l]	yemek (öğün anlamında)

meatball	[mi:tbo:l]	köfte
team	[ti:m]	takım
sport	[spo:t]	spor
fruit juice	[fru:t cu:s]	meyva suyu
holiday place	[holidi pleys]	tatil yeri
actor	[ektı]	aktör (erkek sinema oyuncusu)
actress	[ektris]	aktrist (bayan sinema oyuncusu)
author	[o:tı]	yazar
poet	[pouit]	şair
sportsman	[spo:tsmın]	sporcu
singer	[singı]	şarkıcı
Manchester United	[mençıstı yu:naytid]	bir takım ismi

ders 29

CAN

Can [ken] sözcüğü, Türkçe'deki "konuşabilirim, gidebilir, gezebiliriz, gelebilirler" gibi fiillerin sonunda bulunan "-ebilir, -abilir" takısının İngilizce'deki karşılığıdır. Ancak "bilmek" sözcüğünün Türkçe'de fiile eklenmesine karşın İngilizce'de **can** kök halinde bulunan fiilin önünde yer alır. Yetenek, yeterlilik, izin ve ihtimal bildirmek için kullanılır.

to go	gitmek
Go !	Git !
I go.	Giderim.
I am going.	Gidiyorum.
I can go.	Gidebilirim.
to sing	şarkı söylemek
Sing !	Şarkı söyle!
I sing.	Şarkı söylerim.
I am singing.	Şarkı söylüyorum.
I can sing.	Şarkı söyleyebilirim.
to swim	yüzmek
Swim!	Yüz!
I swim.	Yüzerim.
I am swimming.	Yüzüyorum.
I can swim.	Yüzebilirim.
He can swim.	O yüzebilir.
She can sing.	O şarkı söyleyebilir.
We can walk there.	Biz oraya yürüyebiliriz.
Mr. West can drive a lorry.	Bay West kamyon kullanabilir.
Tom can play tennis.	Tom tenis oynayabilir.
They can visit us.	Onlar bizi ziyaret edebilirler.

Örneklerde de görüldüğü gibi **can**'in kullanılışı çok basittir. Tüm yapılacak işlem özneden sonra "can" sözcüğünü kullanmak, ardından kök halindeki fiili getirmektir. Cümlenin öznesinin tekil veya çoğul olması da hiçbir şey değiştirmemekte, fiil ve **can** daima aynı şekilde kalmaktadır.

I can play tennis.	Tenis oynayabilirim.
You can play basketball.	Basketbol oynayabilirsin.
He can swim.	Yüzebilir.
Peter can play the guitar.	Peter gitar çalabilir.
She can drive.	O araba kullanabilir.
Brigitte can speak French and German.	Brigitte Fransızca ve Almanca konuşabilir.
It can rain.	Yağmur yağabilir.
My cat can eat jam.	Benim kedim reçel yiyebilir.
We can speak Italian.	Biz İtalyanca konuşabiliriz.
You can go there.	Siz oraya gidebilirsiniz.
They can come this evening.	Onlar bu akşam gelebilirler.
Mr. and Mrs. West can sing.	Bay ve Bayan West şarkı söyleyebilirler.

Can sözcüğünün bir yetenek veya yeterlilik, bir izin veya bir ihtimal belirttiğinden söz etmiştik. Türkçe'deki "-bilmek" eki almış bir fiilin ne anlamlar verdiğini şimdi birkaç örnekle görelim.

1. Yetenek, yeterlilik:
Çok iyi şarkı söyleyebilirim.
Fransızca, İngilizce ve Almanca konuşabilir.
Araba kullanabilir misin?
Satranç oynayabilir mi?

2. İzin:
İçeri girebilir miyim?
Pekala maça gidebilirsin ancak geç kalma.
Burada sigara içebilir miyim?
Artık eve gidebilirsiniz.

3. İhtimal:
Bugün yağmur yağabilir.
Babam her an gelebilir.
Belki size yardım edebilirler.
Bu maçı kazanabiliriz.

"-bilmek" eki almış bir fiil ayrıca aşağıdaki konuşma alanlarında da kullanılır.

1. Ricalarda:
Bana yardım edebilir misiniz?
Bana bir iyilikte bulunabilir misiniz?
Şu paketi tutabilir misiniz?
Yolu tarif edebilir misiniz?

2. Yardım teklif ederken:
Size yardım edebilir miyim?
Sizi oraya götürebilir miyim?

Türkçe'deki "-bilir" eki nasıl yukarıdaki anlamlara geliyorsa **can** sözcüğü de İngilizce'de bir cümleye aynı anlamları verir. Cümle kalıbı demin de belirttiğimiz gibi değişmez, önce özne, ardından **can** sözcüğü daha sonra kök halindeki fiil ve diğer sözcükler gelir.

I can speak English.	İngilizce konuşabilirim.
I can drive a car.	Araba kullanabilirim.
He can ski.	Kayak kayabilir.
She can read "Hamlet".	Hamlet'i okuyabilir.
It can snow this evening.	Bu akşam kar yağabilir.
His dog can eat potatoes.	Onun köpeği patates yiyebilir.
We can help him.	Ona yardım edebiliriz.
You can watch television this evening.	Bu akşam televizyon seyredebilirsiniz.
They can come early.	Erken gelebilirler.

I	CAN	SPEAK	ENGLISH.
SHE	**CAN**	**PLAY**	**TENNIS.**
HE	**CAN**	**DRIVE**	**A LORRY.**

I can play chess.
[ay ken pley çes]
Satranç oynayabilirim.

She can knit.
[şi ken nit]
Örgü örebilir.

Mrs. Green can cook very well.
[misiz gri:n ken kuk veri wel]
Bayan Green çok iyi yemek pişirebilir.

Doris can ski very well.
[doris ken ski: veri wel]
Doris çok iyi kayak kayabilir.

I can type well.
[ay ken tayp wel]
İyi daktilo yazabilirim.

Tom can play the piano.
[tom ken pley dı pienou]
Tom piyano çalabilir.

Mrs. Black can make cakes.
[misiz blek ken meyk keyks]
Bayan Black pasta yapabilir.

John can ride a horse.
[con ken rayd ı ho:s]
John ata binebilir.

I can answer the question.
[ay ken a:nsı dı kwesçın]
Ben soruya cevap verebilirim.

I can use a computer.
[ay ken yu:z ı kımpyu:tı]
Ben bilgisayar kullanabilirim.

CÜMLELER

I can knit.	Örgü örebilirim.
I can play the piano.	Piyano çalabilirim.
I can play the guitar very well.	Çok iyi gitar çalabilirim.
I can play chess very well.	Çok iyi satranç oynayabilirim.
I can play basketball very well.	Çok iyi basketbol oynayabilirim.
I can ride a horse.	Ata binebilirim.
I can speak English and Turkish.	İngilizce ve Türkçe konuşabilirim.
I can telephone him.	Ona telefon edebilirim.
I can show him the photographs.	Ona fotoğrafları gösterebilirim.
I can walk to work.	İşe yürüyebilirim.

You can type very well.	Çok iyi daktilo yazabilirsin.
You can ski.	Kayak kayabilirsin.
You can go there.	Oraya gidebilirsin.
You can use my telephone.	Benim telefonumu kullanabilirsin.
You can take my books.	Benim kitaplarımı alabilirsin.
You can have my salad.	Benim salatamı yiyebilirsin.
You can show me the new photographs.	Bana yeni fotoğrafları gösterebilirsin.
You can come early.	Erken gelebilirsin.
He can use my dictionary.	Benim sözlüğümü kullanabilir.
He can type well.	İyi daktilo yazabilir.
He can ride a horse.	Ata binebilir.
He can get to work on foot.	İşe yaya gidebilir.
He can tell me the story.	Hikâyeyi bana anlatabilir.
He can play in the garden.	Bahçede oynayabilir.
He can help you.	Size yardım edebilir.
He can work here.	Burada çalışabilir.
My father can speak German.	Babam Almanca konuşabilir.
My mother can make very good cakes.	Annem çok güzel pasta yapabilir.
My brother can use a computer.	Erkek kardeşim bilgisayar kullanabilir.
Tom can read this book.	Tom bu kitabı okuyabilir.
Robert's sister can ski.	Robert'in kız kardeşi kayak yapabilir.
Doris can come here.	Doris buraya gelebilir.
Mr. West's son can help them.	Bay West'in oğlu onlara yardım edebilir.
His mother can knit very well.	Onun annesi çok iyi örgü örebilir.
We can answer the question.	Biz soruya cevap verebiliriz.
We can help you.	Biz size yardım edebiliriz.
We can telephone them now.	Onlara şimdi telefon edebiliriz.
We can show you his photograph.	Onun fotoğrafını size gösterebiliriz.
We can walk to school.	Okula yürüyebiliriz.
We can bring him here.	Onu buraya getirebiliriz.
We can speak English and German.	İngilizce ve Almanca konuşabiliriz.
We can listen to her now.	Onu şimdi dinleyebiliriz.
We can study here.	Burada ders çalışabiliriz.
We can smoke here.	Burada sigara içebiliriz.

They can visit us.	Bizi ziyaret edebilirler.
They can come here.	Buraya gelebilirler.
They can open this box.	Bu kutuyu açabilirler.
They can telephone the director.	Müdüre telefon edebilirler.
They can play the piano.	Piyano çalabilirler.
They can ski.	Kayak kayabilirler.
Mr. and Mrs. Atkins can help them.	Bay ve Bayan Atkins onlara yardım edebilirler.
The children can play in my garden.	Çocuklar bahçemde oynayabilirler.

Mrs. White's daughter can cook very well.
My wife can speak French and she can use a computer.
The boys can play the guitar and the piano.
You can show me your new pictures.
You can send her these flowers.
They can type and they can speak English and French.
Mary's sisters can ski and they can swim very well.

can ile olumlu cümle kalıbı

özne	can	fiil	diğer sözcükler
I	can	play	the guitar.
You	can	use	a computer.
He	can	help	the children.
She	can	cook	very well.
It	can	rain	this evening.
We	can	speak	English and Turkish.
You	can	go	there.
They	can	answer	these questions.

UYGULAMA

Aşağıdaki resimlere bakarak **can** sözcüğünü kullanınız.

Örnek:  **He can ski.**

1

2

3

4

5

6

7

8

(CAN) Lİ CÜMLELERİN SORU BİÇİMİ

İçinde **"am, is, are"** bulunan cümleleri soru haline sokmak için bu sözcüklerin cümle başına alındığını biliyoruz.

Can ile yapılmış cümleler için de durum aynıdır. **Can** cümle başına getirilirse cümle soru biçimine girer.

I can go.	Gidebilirim.
Can I go?	Gidebilir miyim?
He can play tennis.	Tenis oynayabilir.
Can he play tennis?	Tenis oynayabilir mi?

Can I help?	Yardım edebilir miyim?
Can I use?	Kullanabilir miyim?
Can you help?	Yardım edebilir misin?
Can you cook?	Yemek pişirebilir misin?
Can you drive?	Araba kullanabilir misin?
Can you ski?	Kayak kayabilir misin?
Can you speak English?	İngilizce konuşabilir misin?
Can he swim?	Yüzebilir mi?
Can she type?	Daktilo yazabilir mi?
Can we read?	Okuyabilir miyiz?
Can they sing?	Şarkı söyleyebilirler mi?

CAN	YOU	SWIM ?	
CAN	HE	PLAY	FOOTBALL ?
CAN	SHE	USE	A COMPUTER ?

Can you play the piano?	Piyano çalabilir misin?
Can you cook fish?	Balık pişirebilir misin?
Can you drive a lorry?	Kamyon kullanabilir misin?
Can you ride a horse?	Ata binebilir misin?
Can you knit?	Örgü örebilir misin?
Can you speak French?	Fransızca konuşabilir misin?
Can he play the guitar?	Gitar çalabilir mi?
Can Tom type?	Tom daktilo yazabilir mi?
Can we visit you?	Sizi ziyaret edebilir miyiz?
Can they speak Turkish?	Onlar Türkçe konuşabilirler mi?

Can I come in?
[ken ay kam in]
İçeri girebilir miyim?

Can I sit down?
[ken ay sit daun]
Oturabilir miyim?

Can you touch the ceiling?
[ken yu: taç dı si:ling]
Tavana dokunabilir misin?

Can you ride a bicycle?
[ken yu: rayd ı baysikıl]
Bisiklet kullanabilir misiniz?

CÜMLELER

Can Tom swim very well?
Can we speak Italian?
Can Betty drive a car?
Can we play in your garden?
Can you come this afternoon?
Can you telephone Mary please?

Tom çok iyi yüzebilir mi?
İtalyanca konuşabilir miyiz?
Betty araba kullanabilir mi?
Bahçenizde oynayabilir miyiz?
Bu öğleden sonra gelebilir misin?
Lütfen Mary'e telefon edebilir misin?

Can they show us their new books?
Can we see the director?
Can she buy that car?
Can she ride a bicycle?

CAN ile soru cümlesi kalıbı

can	özne	fiil	diğer sözcükler
Can	I	help	you?
Can	you	play	football?
Can	he	speak	English?
Can	she	help	me?
Can	we	go	to the cinema?
Can	they	answer	the question?

Bu sorulara verilecek cevaplar da şöyledir:

	olumlu cevaplar		olumsuz cevaplar
Yes,	I can. you can. he can. she can. it can. we can. you can. they can.	No,	I can't. you can't. he can't. she can't. it can't. we can't. you can't. they can't.

"**can't**" sözcüğü "**cannot**" sözcüğünün kısaltılmışı olup Britanya İngilizcesinde [ka:nt] Amerikan İngilizcesinde ise [kent] biçiminde okunur.

Can you play the guitar?	Gitar çalabilir misin?
Yes, I can.	Evet.
Can you ski?	Kayak kayabilir misin?
Yes, I can but not very well.	Evet, ancak çok iyi değil.
Can you use a computer?	Bilgisayar kullanabilir misin?
No, I can't.	Hayır.
Can he type?	Daktilo yazabilir mi?
Yes, he can. He can type very well.	Evet. Çok iyi daktilo yazabilir.
Can she speak English?	İngilizce konuşabilir mi?
Yes, she can. She can speak a little English.	Evet. Az İngilizce konuşabilir.
Can they knit?	Örgü örebilirler mi?
Yes, they can. They can knit well.	Evet iyi örgü örebilirler.
Can you drive a lorry?	Kamyon kullanabilir misin?
No, I can't but I can drive a car.	Hayır ama araba kullanabilirim.
Can he speak French?	Fransızca konuşabilir mi?
No, he can't but he can speak German.	Hayır ama Almanca konuşabilir.

Can I come in?
[ken ay kam in]
İçeri girebilir miyim?

Yes, of course.
[yes ov ko:s]
Evet, tabii.

Bu derste öğrendiğimiz sözcükler

sözcük	okunuşu	anlamı
chess	[çes]	satranç
to knit	[tu nit]	örgü örmek
to cook	[tu kuk]	yemek pişirmek
to ski	[tu ski:]	kayak yapmak
to type	[tu tayp]	daktilo etmek
piano	[pienou]	piyano
to make	[tu meyk]	yapmak
cake	[keyk]	pasta
to ride	[tu rayd]	binmek
to answer	[tu a:nsı]	cevap vermek
question	[kwesçın]	soru
to use	[tu yu:z]	kullanmak
computer	[kımpyu:tı]	bilgisayar

ders

(CAN) Lİ CÜMLELERİN OLUMSUZ BİÇİMİ

İçinde **can** olan bir cümleyi olumsuz biçime sokmak için **can**'dan sonra **not** eki getirilir. Fakat bir ayrıcalık olarak **can** ile **not** bitişik yazılır. Bu yalnızca **can** yardımcı fiiline özgüdür. Bunun dışında **not** kısaltmalar hariç daima ayrı yazılır.

I can go.	Gidebilirim.
Can I go?	Gidebilir miyim?
I cannot go.	Gidemem.
I can sing.	Şarkı söyleyebilirim.
I cannot sing.	Şarkı söyleyemem.
He can ski.	Kayak yapabilir.
He cannot ski.	Kayak yapamaz.
She can type.	Daktilo yazabilir.
She cannot type.	Daktilo yazamaz.
They can speak German.	Almanca konuşabilirler.
They cannot speak German.	Almanca konuşamazlar.

Günlük konuşmalarda **cannot** yerine onun kısaltılmış biçimi olan **can't** kullanılır.

can + not ⟶ **cannot** ⟶ **can't**

I can't use a computer.	Bilgisayar kullanamam.
I can't help you.	Size yardım edemem.
I can't play the guitar.	Gitar çalamam.
You can't swim.	Yüzemezsin.
You can't play football.	Futbol oynayamazsın.
She can't knit.	Örgü öremez.
It can't eat bread.	Ekmek yiyemez.
We can't go there.	Oraya gidemeyiz.
They can't telephone you.	Size telefon edemezler.

I	CAN'T	RIDE	A HORSE.
HE	CAN'T	PLAY	TENNIS.
SHE	CAN'T	SPEAK	ENGLISH.

I can't play the flute.
[ay ka:nt pley dı flu:t]
Flüt çalamam.

He can't ride a motorbike.
[hi ka:nt rayd ı moutıbayk]
Motosiklete binemez.

She can't sew.
[şi: ka:nt sou]
Dikiş dikemez.

I can't lift the table.
[ay ka:nt lift dı teybıl]
Masayı kaldıramam.

I can't dance very well.
[ay ka:nt da:ns veri wel]
Çok iyi dans edemem.

He can't drink wine.
[hi: ka:nt drink wayn]
Şarap içemez.

CÜMLELER

I can't drive a lorry.
I can't telephone you this afternoon.
I can't play chess.

Kamyon kullanamam.
Sana bu öğleden sonra telefon edemem.
Satranç oynayamam.

I can't walk to school.	Okula yürüyemem.
I can't take his book.	Onun kitabını alamam.
I can't study here.	Burada ders çalışamam.
I can't work in this factory.	Bu fabrikada çalışamam.
You can't help me.	Bana yardım edemezsin.
You can't drink wine.	Şarap içemezsin.
You can't go there.	Oraya gidemezsin.
You can't knit.	Örgü öremezsin.
You can't speak Italian.	İtalyanca konuşamazsın.
He can't use my telephone.	Benim telefonumu kullanamaz.
He can't dance very well.	Çok iyi dans edemez.
He can't ride a bicycle.	Motosiklete binemez.
He can't come in.	İçeri giremez.
He can't smoke here.	Burada sigara içemez.
He can't read these books.	Bu kitapları okuyamaz.
She can't make cakes.	Pasta yapamaz.
She can't touch the ceiling.	Tavana dokunamaz.
She can't sing very well.	Çok iyi şarkı söyleyemez.
She can't sew.	Dikiş dikemez.
She can't cook fish.	Balık pişiremez.
She can't ride a horse.	Ata binemez.
We can't help them.	Onlara yardım edemeyiz.
We can't send them flowers.	Onlara çiçek gönderemeyiz.
We can't bring them here.	Onları buraya getiremeyiz.
We can't speak English.	İngilizce konuşamayız.
We can't use a computer.	Bilgisayar kullanamayız.
We can't walk there.	Oraya yürüyemeyiz.
We can't show you those pictures.	Şu resimleri size gösteremeyiz.
They can't come here.	Buraya gelemezler.
They can't play the flute.	Flüt çalamazlar.
They can't visit us.	Bizi ziyaret edemezler.
They can't ski.	Kayak kayamazlar.
They can't dance very well.	Çok iyi dans edemezler.
They can't answer the question.	Soruya cevap veremezler.
I can't drive a lorry but I can drive a car.	Kamyon kullanamam ama araba kullanabilirim.
I can't play the guitar but I can sing.	Gitar çalamam ama şarkı söyleyebilirim.
She can't knit but she can sew.	Örgü öremez ama dikiş dikebilir.

I can type but I can't use a computer.
He can ride a motorbike but he can't ride a horse.
I can speak English but I can't speak German or French.

They can play the flute but they can't play the piano.

Daktilo yazabilirim ancak bilgisayar kullanamam.
Motosiklete binebilir ama ata binemez.
İngilizce konuşabilirim ama Almanca veya Fransızca konuşamam.

Flüt çalabilirler ama piyano çalamazlar.

You haven't got a ball. You can't play football.
There aren't any cigarettes here. You can't smoke.
He hasn't got a key. He can't open the door.
She hasn't got a pen or a pencil. He can't write.
I haven't got much money. I can't buy this car.

can ile olumsuz cümle kalıbı

özne	can't	fiil	diğer sözcükler
I	can't	type	very well.
You	can't	help	me.
He	can't	ride	a motorbike.
She	can't	speak	English.
It	can't	eat	bread.
We	can't	use	a computer.
You	can't	go	there.
They	can't	play	in my garden.

UYGULAMA

A. Aşağıdaki cümleleri olumsuz şekle sokunuz.

1. Peter can read these books.
2. Doris can knit and sew.
3. We can telephone Mr. West this evening.
4. I can show her my new photographs.
5. They can use my old books.
6. You can help them.
7. Mr. and Mrs. Black can speak German.

B. Aşağıdaki cümleleri İngilizceye çeviriniz.

1. Lütfen bana yardım edebilir misiniz?
2. Size yardım edebilir miyim?
3. Basketbol oynayabilir mi?
4. Çocuklar burada yüzemezler.
5. Burada sigara içemezsiniz.
6. Çok iyi şarkı söyleyebilirim.
7. Doris bilgisayar kullanabilir mi?

(CAN) İLE SORU SÖZCÜKLERİNİN KULLANILMASI

Can ile yapılmış soru cümlelerinin başına **"what, how, where, when, who"** gibi soru sözcüklerinin getirilmesi yeterlidir.

Can you use?	Kullanabilir misin?
What can you use?	Ne kullanabilirsin?
Can you buy?	Satın alabilir misin?
What can you buy?	Ne satın alabilirsin?
Can I go?	Gidebilir miyim?
How I can go?	Nasıl gidebilirim?
Can he buy?	Satın alabilir mi?
Where can he buy?	Nereden satın alabilir?
Can we see?	Görebilir miyiz?
When can we see?	Ne zaman görebiliriz?
What can we do?	Ne yapabiliriz?
What can we do in a restaurant?	Lokantada ne yapabiliriz?
What can we buy in a grocer's?	Bakkalda ne satın alabiliriz?
What can we buy in a greengrocer's?	Manavda ne satın alabiliriz?
Where can we have lunch?	Öğle yemeğini nerede yiyebiliriz?
Where can we buy stamps?	Nereden pul satın alabiliriz?
Where can I buy flowers?	Nereden çiçek satın alabilirim?
Where can he buy a camera?	Nereden fotoğraf makinesi satın alabilir?

| How can I get there? | Oraya nasıl gidebilirim? (ulaşabilirim?) |

How can I get there?

Oraya nasıl gidebilirim?
(ulaşabilirim?)

How can I get to the post office?
How can we get to Ankara?

Postaneye nasıl gidebilirim?
Ankara'ya nasıl gidebiliriz?

When can I see the director?
When can you telephone me?

Müdürü ne zaman görebilirim?
Bana ne zaman telefon
edebilirsiniz?

When can you help me?

Bana ne zaman yardım
edebilirsin?

WHAT	CAN	I	DO ?
WHERE	CAN	I	BUY	FLOWERS ?
HOW	CAN	WE	GET	THERE ?

What can we do in a restaurant?
[wot ken wi: du: in ı restront]
Lokantada ne yapabiliriz?

We can eat and drink in a restaurant?
[wi:ken i:t end drink in ı restront]
Lokantada yiyip içebiliriz.

What can we do in a cinema?
[wot ken wi: du: in ı sinımı]
Sinemada ne yapabiliriz?

We can watch films in a cinema.
[wi:ken woç filmz in ı sinımı]
Sinemada film seyredebiliriz.

What can we buy in a supermarket?
[wot ken wi: bay in ı su:pıma:kit]
Süpermarkette ne satın alabiliriz?

We can buy fruit and vegetables in a supermarket.
[wi ken bay fru:t end vectıbılz in ı su:pıma:kit]
Süpermarkette meyve ve sebze satın alabiliriz.

What can I do for you?
[wot ken ay du: fo: yu:]
Senin için ne yapabilirim?

You can help me with my homework.
[yu: ken help mi wid may houmwö:k]
Ödevime yardım edebilirsin.

How can I get to the post office?
[hau ken ay get tu dı poust ofis]
Postaneye nasıl gidebilirim?

You can walk there.
[yu: ken wo:k deı]
Oraya yürüyebilirsiniz.

How can we get to the train station?
[hau ken wi: get tu dı treyn steyşın]
Tren istasyonuna nasıl gidebilirim?

Take this bus.
[teyk dis bas]
Bu otobüse binin.

How can I get to the hospital?
[hau ken ay get tu dı hospitıl]
Hastaneye nasıl gidebilirim?

Take number 40 bus.
[teyk nambı fo:ti bas]
40 numaralı otobüse binin.

When can I see the manager?
[wen ken ay si: dı menicı]
Müdürü ne zaman görebilirim?

You can't see him today.
[yu: ka:nt si: him tıdey]
Onu bugün göremezsiniz.

CÜMLELER

What can we do in a theatre?	Tiyatroda ne yapabiliriz?
What can we buy in a butcher's?	Kasapta ne satın alabiliriz?
What can we do in Antalya?	Antalya'da ne yapabiliriz?
What can you do in London?	Londra'da ne yapabilirsiniz?
Where can you visit in New York?	New York'ta nereleri ziyaret edebilirsiniz?
Where can we have a cup of tea?	Nerede bir fincan çay içebiliriz?
Where can we have breakfast?	Nerede kahvaltı edebiliriz?
Where can we buy fish?	Nereden balık satın alabiliriz?
When can you come?	Ne zaman gelebilirsin?
When can you bring the shoes?	Ayakkabıları ne zaman getirebilirsin?
When can I see you?	Seni ne zaman görebilirim?
When can we visit you?	Sizi ne zaman ziyaret edebiliriz?

How can I help you?   Size nasıl yardım edebilirim?
How can I get to the museum?   Müzeye nasıl gidebilirim?
How can I get to the factory?   Fabrikaya nasıl gidebilirim?
How can we get to Taksim?   Taksim'e nasıl gidebiliriz?

What can we do in a baker's?
When can you come to my new house?
What can we do for you?
How can I get to Mr.West's house?

What, where, how ve **when** soru sözcükleri ile **can**'li cümleler

Soru sözcüğü	can	özne	fiil	diğer sözcükler
What	can	I	do	for you?
Where	can	we	buy	fish?
How	can	I	get	to the park?
When	can	you	visit	us?
What	can	we	do	there?
How	can	I	help	you?

"what" ve "who" soru sözcükleri bazen özne hakkında bir soru sorar. Bu durumda "who" ya da "what" dan sonra **can,** ardından da fiil getirilmelidir.

Who can sing?   Kim şarkı söyleyebilir?
Who can play the piano?   Kim piyano çalabilir?
What can swim?   Ne yüzebilir?
A fish can swim.   Balık yüzebilir.

Who can play the flute in this   Bu sınıfta kim flüt çalabilir?
classroom?
Who can dance well?   Kim iyi dans edebilir?
Who can play the guitar here?   Burada kim gitar çalabilir?
Who can answer this question?   Bu soruya kim cevap verebilir?
Who can walk from here to the   Buradan parka kadar kim
park?   yürüyebilir?
Who can come with me?   Benimle kim gelebilir?
Who can sing well in this   Bu sınıfta kim iyi şarkı
classroom?   söyleyebilir?
Who can touch the ceiling?   Kim tavana dokunabilir?
Who can eat two kilos of butter?   Kim iki kilo tereyağı yiyebilir?
Who can ski here?   Burada kim kayak yapabilir?
Who can use a computer in this   Bu fabrikada kim bilgisayar
factory?   kullanabilir?

WHO	CAN	SING	WELL ?
WHO	CAN	USE	A COMPUTER ?

Who can solve this problem?
[hu: ken solv dis problım]
Bu problemi kim çözebilir?

Who can play table tennis?
[hu: ken pley teybıl tenis]
Kim masa tenisi oynayabilir?

CÜMLELER

Who can knit?	Kim örgü örebilir?
Betty can knit.	Betty örgü örebilir.
Who can answer my question?	Soruma kim cevap verebilir?
I can answer it.	Ona ben cevap verebilirim.
Who can ride a motorbike?	Kim motosiklete binebilir?
Tom can ride a motorbike.	Tom motosiklete binebilir.
Who can ski in this classroom?	Bu sınıfta kim kayak yapabilir?
Mary and Susan can ski.	Mary ve Susan kayak yapabilirler.
Who can speak German?	Kim Almanca konuşabilir?
Doris can speak German.	Doris Almanca konuşabilir.

Who can help me?
Who can play table tennis with me?
Who can make cakes?
Who can play chess?
Who can ride a horse?

who ile başlayan can'li cümleler

Who	can	fiil	diğer sözcükler
Who	can	play	the piano?
Who	can	sing	well?
Who	can	come	with me?
Who	can	ski	in this classroom?
Who	can	ride	a motorbike?
Who	can	speak	French?

UYGULAMA

Aşağıdaki cümleleri İngilizceye çeviriniz.

1. Kadıköy'e nasıl gidebilirim?
2. Sizin için ne yapabilirim?
3. Kasaptan ne satın alabiliriz?
4. Bay Black'i ne zaman görebilirim?
5. Buraya ne zaman gelebilirler?
6. Bu sınıfta kim iyi gitar çalabilir?
7. Nereden pul satın alabilirim?

Bu derste öğrendiğimiz sözcükler

sözcük	okunuşu	anlamı
flute	[flu:t]	flüt
motorbike	[moutıbayk]	motorsiklet
to sew	[tu sou]	dikiş dikmek
to lift	[tu lift]	kaldırmak
to dance	[tu da:ns]	dansetmek
wine	[wayn]	şarap
supermarket	[su:pıma:kit]	süpermarket (gıda pazarı)
fruit	[fru:t]	meyva
vegetable	[vectıbıl]	sebze
homework	[houmwö:k]	ev ödevi
to take a bus	[tu teyk ı bas]	otobüse binmek
manager	[menicı]	müdür

UYGULAMALARIN CEVAPLARI

SAYFA	UYGULAMA	
13	A	1. [bi: ey] 2. [pi: dabıl ti:] 3. [i: ci: ou] 4. [ay i: dabıl ti:] 5. [ti: si: dabıl di:]
	B	1. [si: ey ti:] 2. [dabılyu: ay en di: ou dabılyu:] 3. [eyç ou a: es i:] 4. [em ey pi:] 5. [ti: i: ey si: eyç i: a:] 6. [pi: ou el ay si: i: em ey en] 7. [es ti: ey a:] 8. [ef ay en ci: i: a:] 9. [pi: el i: ey es i:] 10. [ef dabıl i: ti:]
14	C	Serbest alıştırma
19	A	1. **He is American.** 2. **She is French.** 3. **He is Italian** 4. **They are Turkish.**
20	B	1. **He is American.** 2. **No, she isn't. She is French.** 3. **Yes, they are.** 4. **No, he isn't. He is Italian.** 5. **Yes, he is.** 6. **She is French.** 7. **No, they aren't. They are Turkish.**
25		1. **near the door.** 2. **near the horse.** 3. **near the vase.** 4. **near the book.**
30		1. **behind** 2. **in front of** 3. **behind** 4. **behind**
39		1. **Mr. Black's hat** 2. **Mrs. White's hat** 3. **number three is David's hat** 4. **Hat number four is Tom's hat**
41		1. **daughter** 2. **father** 3. **son** 4. **wife** 5. **sister** 6. **husband**
46		1. **It is in the east of Turkey.** 2. **It is in the south of Turkey.** 3. **No, it isn't. It is in the north of Turkey.** 4. **It is in the west of Turkey.** 5. **It is in the west of Turkey.** 6. **Yes, it is.** 7. **It is in the north of Turkey.** 8. **It is in the south of Turkey.**
49	A	1. **between** 2. **among** 3. **between** 4. **between** 5. **between**

B 1. The television is between the window and the table. 2. The teacher is sitting among the students. 3. There is a bank between the station and the park. 4. Our house is among the trees. 5. Tom is walking between his mother and his father.

54 1. night 2. afternoon or evening 3. morning 4. morning or afternoon 5. morning or afternoon

56 1. has got 2. have got 3. have got 4. has got 5. have got 6. have got 7. has got

62 1. He has got a big car. 2. She has got a cat. 3. He has got a jacket. 4. He has got a dictionary. 5. They have got a white dog. 6. He has got a notebook.

68 1. He is from Italy. 2. They are from France. 3. No, he isn't. He is from Egypt. 4. No, they aren't. They are from England. 5. No, she isn't. She is from the U.S.A. 6. They are from Japan. 7. Yes, they are.

71 1. England 2. American. 3. Japanese 4. Germany 5. Australia 6. Egyptian 7. France

76 A 1. One hundred and fifty 2. sixty-eight 3. eight thousand 4. four hundred and sixty-five 5. five thousand, three hundred and twenty 6. two thousand, five hundred and seventy-two

B Twenty, twenty-five, thirty, thirty-five, forty, forty-five, fifty, fifty-five, sixty, sixty-five, seventy, seventy-five, eighty, eighty-five, ninety, ninety-five, a hundred.

C One hundred and eighty, one hundred and seventy, one hundred and sixty, one hundred and fifty, one hundred and forty, one hundred and thirty, one hundred and twenty, one hundred and ten, one hundred, ninety, eighty, seventy, sixty, fifty, forty, thirty, twenty, ten.

D 1. 5070 2. 946 3. 3048 4. 20299 5. 1137 6. 821 7. 2633 8. 4102

E 1. seventy-five years old 2. is forty-eight years old 3. is nineteen years old 4. is seven years old

83 1. It's a quarter past eight. 2. It's ten past five. 3. It's half past six. 4. It's ten to four. 5. It's twenty to four. 6. It's twenty-five past seven. 7. It's ten to two. 8. It's five o'clock.

91 1. on. 2. of. 3. on 4. on 5. on 6. of 7. is/the

95 1. in 2. at 3. in 4. at 5. in 6. in 7. at 8. at/in

266

	A	1. I'm a policeman 2. I'm a dentist. 3. I'm a lawyer. 4. I'm a student. 5. I'm an English teacher. 6. I'm an engineer.
	B	1. She's a teacher. 2. He's an engineer. 3. She's a lawyer. 4. She's a civil servant. 5. He's a dentist.
104		1. How tall is Frank? He is one metre, ninety-two centimetres tall. 2. How tall is Mr. Rabinson? He is one metre, seventy-eight centimetres tall. 3. How tall is Susan? She is one metre, sixty-eight centimetres tall. 4. How tall is Alex? He is one metre, sixty-seven centimetres tall. 5. How tall is Bill? He is one metre, fifty centimetres tall. 6. How tall is Barbara? She is one metre sixty-two centimetres tall.
108		1. It is eight hundred and forty-two kilometres from Adana to Bursa. 2. İt is eight hundred and forty-six kilometres from Erzurum to Bursa. 3. It is five hundred and eighty-six kilometres from İzmir to Ankara. 4. It is one thousand, two hundred and eighty kilometres from Erzurum to İstanbul. 5. It is nine hundred and twenty-two kilometres from İstanbul to Adana. 6. It is two hundred and twenty-eight kilometres from Bursa to Istanbul. 7. It is three hundred and fifty kilometres from İzmir to Bursa.
112		1. The student's class-room. 2. My girls' hats. 3. The women's hair. 4. The doctors' books. 5. The teachers' dictionaries. 6. My sons' letters. 7. The children's shoes.
116		1.a 2.b 3.a 4.a 5.b 6.b 7.a
120	A	1. any 2. some 3. any 4. any 5. some 6. some 7. any
	B	1. There isn't any milk in the cup. 2. There isn't any meat in the kitchen. 3. Mrs. Taylor isn't buying any flour. 4. We aren't drinking any tea. 5. The boys aren't eating any chocolate. 6. Don't put any tea on the table. 7. There isn't any bread here.
125		1. How much 2. How many 3. How much 4. How much 5. How many 6. How much 7. How many
131		1. a few 2. a little 3. a few 4. a little 5. a few 6. a few 7. a little
134	A	1. aren't many 2. isn't much 3. aren't many 4. isn't much 5. isn't much 6. aren't many 7. isn't much
	B	1. many 2. many 3. a lot of 4. much 5. a lot of 6. a lot of 7. many

C   1. Tom has got a lot of friends. 2. There aren't many students in this classroom. 3. Mr. Green hasn't got much money. 4. There is a lot of sugar near the box. 5. There is a little sugar in the kitchen.

148   A   1. He drinks coffee. 2. I buy apples from the greengrocer's. 3. The doctor's daughter walks to the door. 4. Tom eats some bread and butter. 5. We listen to the teacher. 6. They come here. 7. She arrives home.

B   1. He is coming home early. 2. My father is listening to music. 3. The postman is drinking coffee. 4. We are buying cheese from the grocer's. 5. You are watching television. 6. She is getting up at six o'clock. 7. I am washing my hands and my face.

C   1. He writes a letter. 2. He goes to bed at ten o'clock. 3. He likes the teacher. 4. He drinks tea. 5. He listens to the radio. 6. He plays in the garden. 7. He opens the door.

D   1. I like children. 2. They get up early in the morning. 3. My father helps my mother. 4. I play in the garden. 5. We have dinner at seven o'clock. 6. I go to school at eight o'clock. 7. I play football and basketball.

152   1. She goes to school at twenty past eight. 2. She watches the children in the park. 3. She has her lunch at home. 4. She goes to bed very early. 5. She washes her face. 6. She studies her lessons. 7. She has breakfast at eight o'clock.

156   A   1. Do we listen to the radio? 2. Does he clean his car in the morning? 3. Does the girl get up at seven o'clock? 4. Do these students study English? 5. Does Betty like her teachers? 6. Does Alex live in Australia? 7. Does his father go to bed at eleven o'clock?

B   1. Tom drinks coffee. 2. They write letters. 3. The fat man eats fish. 4. We listen to the radio. 5. The woman cleans the windows. 6. The postmen come here. 7. Frank has breakfast.

159　　A　　1. We don't like children. 2. The student doesn't speak French. 3. The students don't speak English. 4. He doesn't come to our house in the morning. 5. Mrs. Madelin doesn't buy meat. 6. They don't go to bed early. 7. She doesn't enjoy music.

　　　　B　　1. He listens to the radio. 2. I like English. 3. The girl hêlps her mother. 4. It eats bread. 5. They enjoy tennis. 6. We write letters. 7. They go to the cinema.

163　　　　1. No, he doesn't. 2. No, they don't. 3. No, she doesn't. 4. No, I don't. 5. Yes, they do. 6. Yes, she does. 7. Yes, he does.

174　　　　1. thirty-seventh 2. sixty-first 3. twelfth 4. twentieth 5. eighty-second 6. third 7. forty-fourth

184　　　　1. of 2. are 3. Is 4. Are 5. is 6. am 7. a

195　　　　1. How does your father get to work? 2. What time do you get up? 3. What do you do after dinner? 4. What time does Tom go to bed? 5. What time do you have dinner? 6. Where does Mr. Taylor work? 7. What time does the post office open?

200　　A　　1. Mrs. West often buys cheese, butter and olives from this shop. 2. We usually read English and American magazines. 3. Tom's sister sometimes comes to our house on Sundays. 4. Their parents always go to the U.S.A. in the summer. 5. Her dog often eats tomatoes and potatoes. 6. It always snows in England in the winter. 7. We sometimes go to the factory by bus.

　　　　B　　1. Betty never sits near Susan. 2. We never listen to the radio. 3. I never drink tea in the morning. 4. They never go to Mrs. West's house. 5. He never goes to bed late. 6. Our teachers never come late. 7. John never helps his brother.

210　　　　1. Mrs. West goes to the doctor twice a week. 2. Tom drinks this medicine three times a day. 3. The woman cleans the house twice a week. 4. How often do you go to the cinema? 5. Mr. Brown travels to England once a month. 6. I telephone my mother twice a day. 7. We eat meat three or four times a month.

216　　　　1. Do you like Susan's new blouse? 2. Do you like the colour of Susan's new blouse? 3. The canteen of the factory is big. 4. What colour are the walls of the room? 5. The woman is cleaning the bathroom of her house. 6. The bathroom of the house is small. 7. Mr. West's shop is on the right.

226		1. It's cloudy. 2. It's foggy. 3. It's snowy. 4. It's sunny. 5. It's rainy.
232	A	1. His 2. We 3. us 4. them 5. Their/them 6. She/me 7. I/them
	B	1. Telephone me at four o'clock, please. 2. I am sending them a new car. 3. Show me that shirt, please. 4. They like us. 5. Do you like them? 6. Bring us two cups of coffee, please. 7. Please, tell them this.
238		1. What kind of films do you like? 2. Does your son like adventure films? 3. I enjoy comedies but I don't like war films. 4. What kind of books does Jane like? 5. Do you read poems? 6. What kind of music do you listen to? 7. Mrs. Green listens to classical music and she doesn't enjoy pop music.
250		1. She can use a computer. 2. She can knit. 3. She can play the guitar. 4. He can play basketball. 5. She can cook. 6. They can play chess. 7. She can sing. 7. He can swim.
258	A	1. Peter can't read these books. 2. Doris can't knit and sew. 3. We can't telephone Mr. West this evening. 4. I can't show her my new photographs. 5. They can't use my old books. 6. You can't help them. 7. Mr. and Mrs. Black can't speak German.
	B	1. Can you help me, please? 2. Can I help you? 3. Can he (Can she) play basketball? 4. Children can't swim here. 5. You can't smoke here. 6. I can sing very well. 7. Can Doris use a computer?
264		1. How can I get to Kadıköy? 2. What can I do for you? 3. What can we buy from the butcher's? 4. When can I see Mr. Black? 5. When can they come here? 6. Who can play the guitar well in this classroom? 7. Where can I buy stamps?